女医が教える

本当に気持ちのいいセックス

医師・性科学者
宋 美玄 ソン・ミヒョン

前戯は服を着たまま始めてみない？
くるぶしに触れて1枚脱がし、
耳たぶを味わってからもう1枚脱がす。
太ももに指を這わせ、うなじにキスをする。
焦らしに焦らして、彼女の全身がほてってきたら
下着を脱がすタイミングです。

「胸はあんまり感じないの」
彼女がそう言っても、愛してあげて。
指でそっと螺旋を描くようにして
先端に近づいていけば、そこにあるのは
かわいらしくて、敏感な乳首。
やがて潤んだ目であなたを見上げ、彼女がおねだりするでしょう。
「お願い、乳首を触って」

女性にとってもマスターベーションはとても大切。
どこが感じるの？　どうされると感じるの？
自分に問いかけながら、快楽と向き合うことで
より〝感じる身体〟になるのです。
もちろん彼とのセックスも充実します。
たまには、マスターベーションを見せ合うのも刺激的。
お互いの身体がますます、すてきなものに見えてきます。

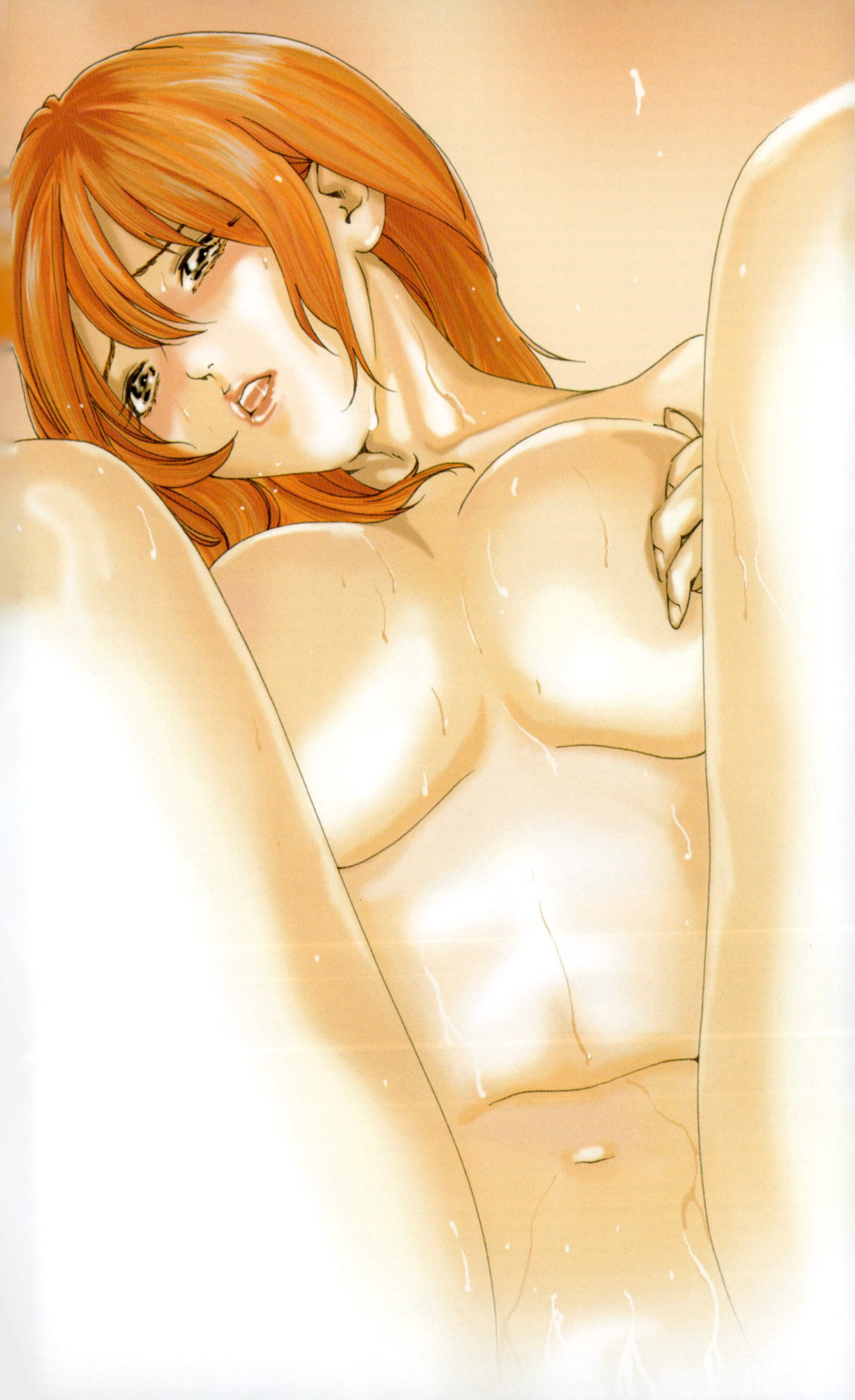

彼女のなかにあなた自身を挿入したときに、
やたらと速く腰を動かすのは、とてももったいないこと。
あなたを包んで、うごめくヒダの動きを
じっくりと味わってみませんか？
お互いの胸の鼓動や、熱い呼吸に耳をすませる濃密な時間。
激しいピストン運動の前に、こんな静かな時間を過ごすことで
オーガズムもより強烈で、官能的なものになります。

はじめに
すばらしきオーガズムをすべての女性に味わってもらうために。

彼女のあたたかな体内で果て、汗まみれになった裸の胸をふくよかな乳房に押し当てて、乱れた呼吸を整える。彼女もそれに応えてあなたの首に手を回し、指先でやさしく髪を撫でる――。あなたと彼女がともに満たされたこのひとときは、ふたりにとっておそらく最も幸福な時間のひとつでしょう。

男性がオーガズムに達したことは、ペニスの先から放出された精液を見れば明らかですが、女性のほうはどうでしょうか？　あなたの腕のなかで身をよじり、高い声をあげていたとすれば、彼女が快感を覚えていたことはまず間違いないでしょう。けれどオーガズムまで達したかどうかは……残念なことに、男性が判断するのはとても難しいことなのです。

オーガズムに達したようにふるまう、つまり〝イッたふり〟をする女性は少なからずいます。10〜60代の女性を対象に行った調査の結果が左のグラフにありますが、これを見ると、年代を問わず半数からそれ以上の女性が絶頂に達したようにふるまったことが

“イッたふり”をしたことがありますか?

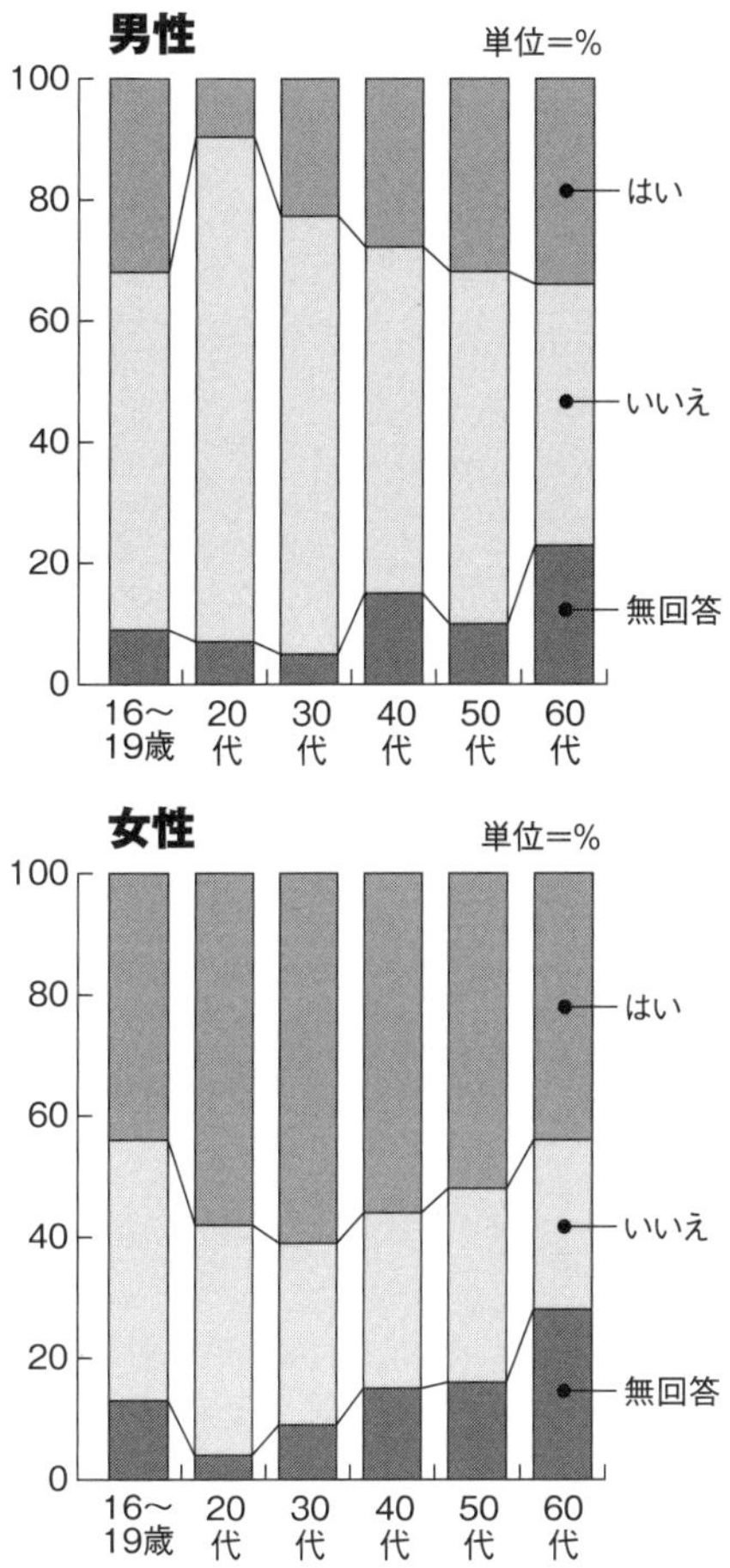
男性
単位=%
100
80
60
40
20
0
はい
いいえ
無回答
16〜19歳
20代
30代
40代
50代
60代
女性
単位=%
100
80
60
40
20
0
はい
いいえ
無回答
16〜19歳
20代
30代
40代
50代
60代

あると答えています。

ここではオーガズムの経験があるかないかは問われていないので、なかには一度もイッたことがないのに演技ばかりを続けている女性もいるのかもしれません。

男性にとっては、ショッキングな結果かもしれませんが、女性の〝イッたふり〟は、一概に悪いことだとはいえないと私は思います。熱心に指を、もしくは腰を動かしてくれている恋人の気持ちに応えたくて、彼女たちは絶頂を迎えたかのように演じます。相手を喜ばせたいがための〝演技〟は、愛情表現のひとつ。実際、多くの女性は、強い快感がなくても、恋人と裸で抱きあっているだけで、幸福感に満たされるといいます。


たしかにオーガズムは、セックスにおいてなくてはならないものというわけではありません。ただ、それがあれば身体がますます充足するだけでなく、より強い満足感、幸福感を得られることもまた、間違いではないのです。それは、オーガズムについての考えを尋ねた左のアンケート結果を見ても明らかです。

セックスにおいてオーガズムが「必要である」「どちらかといえば必要である」と答

えている人の総数は、全年齢を平均して80%を超えています。

身体的にも精神的にも満たされるセックスは、張りのある毎日につながり、結果的にストレスも軽減されることが、医学の世界では通説となっています。つまり、オーガズ

**オーガズムについて
どのように考えていますか?**

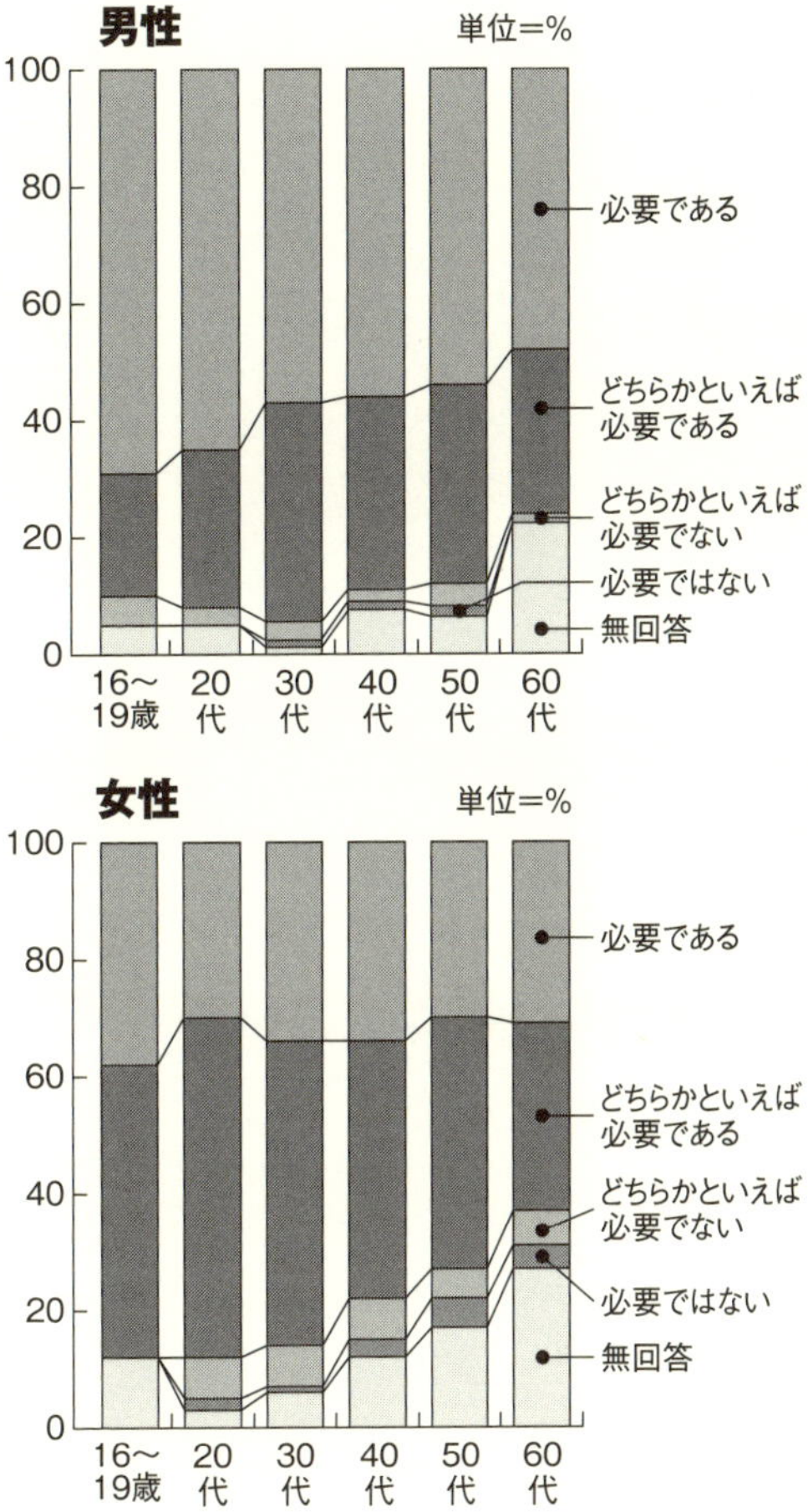
男性
単位=%
100
80
60
40
20
0
16〜19歳
20代
30代
40代
50代
60代
必要である
どちらかといえば必要である
どちらかといえば必要でない
必要ではない
無回答
女性
単位=%
100
80
60
40
20
0
16〜19歳
20代
30代
40代
50代
60代
必要である
どちらかといえば必要である
どちらかといえば必要でない
必要ではない
無回答

ムは、性生活のみならず、日々の生活をより豊かで、彩りのあるものにしてくれるというわけです。

さらに、あまり知られていないことですが、オーガズムは身体の健康とも深い関わりがあります。

偏頭痛で悩む女性は少なくありません。月に数回、頭の一部やこめかみなどがズキズキと痛み、家事や仕事に集中できないという、やっかいな病気のひとつです。

なんと、これがオーガズムに達することで軽減されるということが、近年の研究によってわかっています。頭痛薬を飲むよりも、セックスをして感じる絶頂感のほうが、早く痛みに効くというのだから驚きです。

また、ふだんからオーガズムを経験している女性は、子宮内膜症になりにくいという報告もあります。なぜそのような現象が起きるのかは現代の医学をもってしてもまだ解明されていませんが、女性の身体とオーガズムに密接な関わりがあることは確かなようです。

ところで、満たされたセックスの後にぐっすり眠れたという経験はありませんか？オーガズムには、入眠作用もあるのです。幸福感にひたりながら深く安らかな眠りに落ち、翌朝さわやかに目覚めることができるというのは、とても健全なことですよね。

もちろん、男性にとっても同様に、オーガズムは身体によい影響を与えるものです。オーガズム、すなわち射精を週に2回以上している人と、月に1回以下の人とでは、後者のほうが前立腺ガンにかかる率が高いというデータがあります。またオーガズムに達することで、ＤＨＥＡというホルモンが分泌され、これによって心臓病のリスクが下がるということも、最近の医学界では話題になっています。

ふたりの愛情をより深いものにするだけでなく、心身に健康をもたらすオーガズム。これを追求することは恥ずかしいことではなく、むしろ健全なことだということがわかっていただけたでしょうか？　私は産婦人科医として、少しでも多くの人にこのすばらしい体験をしてもらいたいと考えています。

けれど男性の90％がオーガズムを経験しているの対して、女性は約60％もが未経験という統計結果があります。女性の身体というのは、そんなにも〝イキにくい〟ものなのでしょうか？　さらにいうと、そもそも体質として〝イケない〟という女性がいるのでしょうか？

最新の性医学では、オーガズムに至らないのは障害のひとつであるといわれています。つまり、ほとんどの女性は〝イケる〟可能性を秘めているのです。

どうしても絶頂を体験できないとすれば、それは経験が浅いか、気持ちのうえで何かしら不安な要素があるか、パ・ー・ト・ナ・ー・で・あ・る・あ・な・た・の・愛・撫・の・仕・方・に・問・題・が・あ・る・か・です。

ここで質問です。

あなたは、自分の愛撫の方法は正しいと、自信を持って言えますか？

セックスでより強い快感を得るためのテクニックを指南する、いわゆる〝ハウ・トゥ・セックス〟の本がちまたにはあふれています。けれど、その多くは男性の目線で書かれたもので、女性の身体の構造や快感の仕組みについて、事実とは違う表現が多々見られるのは、とても悲しいことです。

こうした本を読んでテクニックを学んだ男性が、恋人とのセックスでそれを実践すると、おそらく彼女は痛い思いをしたり、不快な感覚に耐えたりすることになるでしょう。しかも、張り切っている彼を前にすると不快感を口にすることもできず、それどころか感じている演技をすることもあるかもしれません。一度だけならまだしも、こうした行為を繰り返すことで彼女がセックスそのものを嫌いになってしまうことも十分に考えられるのです。

恋人にこんな悲しい思いをさせたいと思う男性は、ひとりもいないはずです。ふたりの関係にヒビが入る可能性だってあるのですから。

こうした悪循環から抜け出すために必要なのは、正しいテクニックです。彼女の心身を傷つけるような愛撫はいますぐにやめましょう。愛情をもって正しい方法で彼女に触れれば、ふたりの関係も必ず円滑なものになります。

本書では、これまで何万人という女性の身体を診察し、身体や性生活についての悩みに答えてきた女性産婦人科医師であり、性科学＝セクシャルサイエンスの研究家でもある私の視点を通して、セックスやオーガズムを見直すことを目的としています。

男女ともにパートナーの身体の仕組みをよく知ること、そしてふたりで高まるための正しいテクニックを身につけること――これこそがお互いに対する思いやりの表れであり、それさえあればオーガズムは自然に訪れるのです。そのための確実な方法を、一緒に学んでいきましょう。

コラム集

あとがき

Chapter 1

オーガズムって何?

オーガズムはセックスを始めてすぐには訪れない

オーガズムとは何かをひとことで説明するなら、**男女がそれぞれの性器で感じる快感の頂点、すなわち絶頂感**です。

互いに触れあい、ともに濡れて、身も心も溶けそうになるほどの快感におぼれて、気が遠くなりそうなほど感じて、感じて、感じて……この気持ちのよさが最も極まった、ごく短い時間のことです。

頂点というからには、そこに至るプロセスがあります。男性のペニスを体内に迎え入れてすぐに、女性が身もだえ、絶頂を迎える……というのはアダルト作品などが作り出した幻想のようなものでしょう。

現実の男女であれば、性欲を感じてからオーガズムに達するまでには、左のグラフのようなプロセスをたどります。

オーガズムに達するまでのプロセス

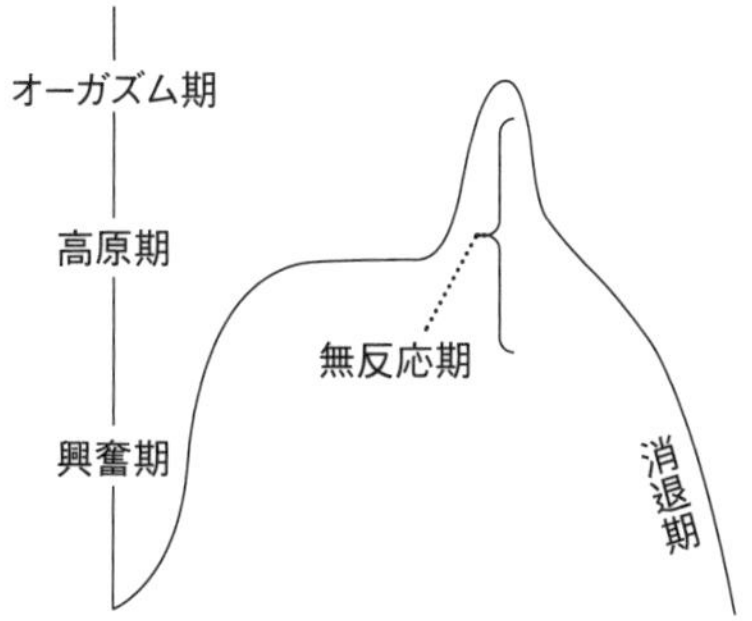

男性の性反応

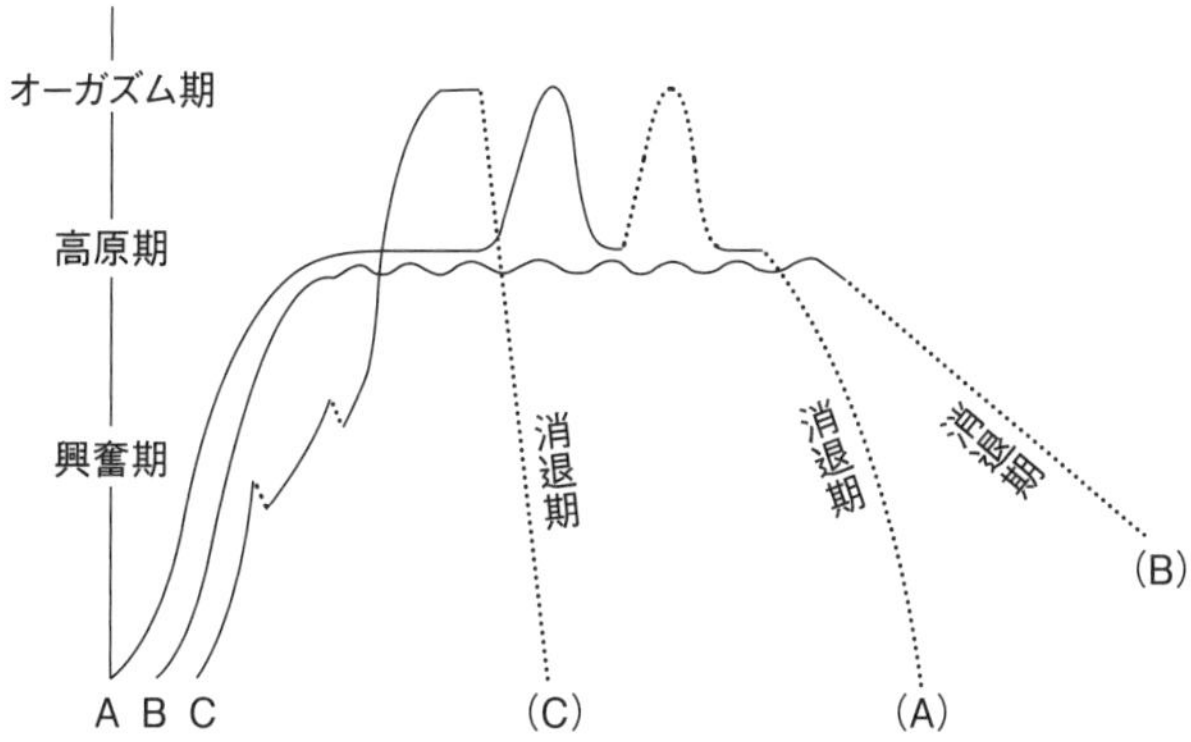

女性の性反応

1 興奮期 ＝ 性欲を感じ、身体が性的反応を始める段階
2 高原期 ＝ オーガズムまでの助走段階
3 オーガズム期 ＝ 快感がクライマックスに達する段階
4 消退期 ＝ 快感が去り、身体がふだんの状態に戻る段階

1の興奮期から2の高原期にかけて徐々に快感が高まり、3のオーガズム期を迎え、そして4の消退期になって快感が退いていく——というのが大まかな流れですが、それぞれの段階にかかる時間の長さは男女で差があり、もちろん個人差もあります。特に女性は、グラフのAのように絶頂感を一度ならず何度も体験する人、Bのようにオーガズムまで至らないまでも快感に長い時間浸れる人、または短時間でオーガズムに達し、すぐに消退期を迎えるCのような人など、個々でかなりの差があります。さらにその時々の環境や体調によっても変わりますが、セックスであってもマスターベーションであっても、男女ともに必ずこの4段階のプロセスをたどります。

ですから、挿入してすぐにイクというのは、走り幅飛びにおいて、ろくに助走もせずにジャンプしたにもかかわらず、助走で勢いをつけて踏み切った場合と同じ記録が出た、というくらい、ありえないことなのです。

では、セックスをしている最中に、自分が、もしくは彼女がどの段階にいるかは、どうすればわかるのでしょう?　それがわかれば、彼女がまだ高原期に入っていないのに、激しいピストンをして痛い思いをさせたり、または自分だけ先に果ててしまったりといったことが避けられますね。

答えは、よく観察することです。肌がほんのり紅潮する、脈拍が増加し、呼吸が乱れる、手脚が緊張する、またはだらりと弛緩する……などなど、**目で見てわかるサインが必ずある**のです。

感じているときに、それぞれの身体にどんな変化が起き、どんなサインがあるのか、男女別に見ていきましょう。

男性のオーガズム＝気持ちよくなったら射精まで一直線！

●プロセス1　興奮期…男性は目からの刺激で興奮しやすい
動物にはメスの排卵にあわせてオスの生殖機能も働きだす、いわゆる〝発情期〟がありますが、人間はいつでも性欲を感じ、セックスをすることができる数少ない動物のひとつです。

特に男性は、ちょっとしたきっかけで性欲のスイッチが入ります。

たとえば、食事中に彼女の濡れた唇が目に入る、グラビアアイドルの挑発的なビキニ姿を雑誌で見る、スカートのスリットからチラリとのぞいたナマ脚を目撃する……それだけでムラムラしてしまった経験は、男性なら誰しも一度はあるでしょう。このように、**男性は視覚による刺激で性的興奮を得る**ことが多いといわれています。

もちろんほかにも、好きな女性のことを考えたり、セックスを連想させるにおいや音、声をキャッチすることで、性欲に火がつくこともあるでしょう。きっかけはさまざまですが、男性が興奮期に入ったことを示す身体的反応は一目瞭然、ペニスの勃起です。

ただし、コロンブスの卵ではありませんが、男性の場合は勃起した後に性欲を感じることもままあります。特に性欲を感じていなくても、しごいたり撫でたりといった物理的刺激を与えることで、ペニスは簡単に勃起します。そして、この身体的反応が起きたことによって気分が盛り上がり、セックスをしたいと思うようになるのです。

これは、男性だけに起きる特有の現象です。女性は物理的な刺激から性欲に火がつくことは男性に比べるとまれで、愛情があってはじめて性欲を感じる傾向にあります。「愛していない人とセックスなんて無理！」「彼氏とケンカ中はエッチな気分にはなれない」といわれたことはありませんか？　男性と女性とでは、性欲がオンになるきっかけに違いがあるため、このようなすれ違いが起きるのです。

●プロセス2　高原期…ペニスの先端から出るカウパー腺液が目印！

興奮期で勃起したペニスを、彼女の手でしごいてもらったり、舌で愛撫してもらったりすると、ふだんはだらりとぶら下がっている陰のうが自然と持ちあがり、尿道から〝カウパー腺液〟がにじみ出てきます。これが〝高原期〟のはじまりです。

さらさらとした透明な体液である〝カウパー腺液〟の量には個人差がありますが、これは快感の強い弱いを計るバロメーターではありません。射精までのあいだずっと分泌され続けるものなので、勃起している時間が長いほど量も多くなるだけのことです。

では、カウパー腺液は一体何のためにペニスの先を濡らすのでしょうか？

ひとつめの役割は、男性の尿道をきれいにすることです。当然のことですが、尿道にはおしっこが残っていますが、それだけでなく、一度目のセックスが終わった後であればそのときの精液も残存している可能性があります。これが女性の膣内に入ってしまっては、不衛生。カウパー腺液は、こうした残留物を事前に洗い流すことで、女性の身体を感染症などから守っているのです。

膣とペニスのあいだの摩擦を少なくするのも、カウパー腺液の大事な役割です。女性のラブジュースと同じく、これがあることでペニスが膣を出入りするときの摩擦が減り、ピストン運動が滑らかになって、互いの粘膜を傷つけることもなくなります。快感の度合いも確実にアップするでしょう。

そして忘れてはならないのが、膣内を中和するという役割。女性の膣のなかは弱酸性に保たれていますが、実はこの環境下では精子が死んでしまうのです。子宮の奥にある卵子が受精するためには、男性が射精する前に膣内を中和する必要があり、そこでアルカリ性のカウパー腺液の出番となるわけです。

つまりカウパー腺液が出てきたということは、**女性の膣内に入るための下準備ができた**ということ。彼女の身体も高原期を迎えて、ペニスを受け入れられる状態になっているなら、いつでも挿入してよいのです。

●プロセス3　オーガズム期…わずか数秒間で終わる絶頂期

女性の膣のなかというのはとても温かく、そのうえしっとりと潤っています。ペニスがこれに包まれているだけでも気持ちいいものなのに、あなたの腰の動きに合わせて彼女の膣内がうごめき、ペニスをやわらかく締めつけてくるとなると、もうたまりません。

ペニスがうっとりするような快感に包まれているあいだ、あなたの骨盤の底の筋肉がひそかに緊張してきます。だいたいの人にとっては無意識のうちに起こる現象ですが、なかには腰のあたりが甘くしびれるように感じる人もいるかもしれません。

濡れたヒダとの摩擦が気持ちよすぎて、ついにあなたのペニスが限界に達し、摩擦の心地よさに射精の衝動をおさえられなくなると、膀胱の括約筋がゆるみ、骨盤の底の筋肉がビクッ、ビクッと律動的に収縮します。そしてそのリズムに合わせて、ドクッ、ドクッという一定のリズムを刻んで、尿道から精液が吐き出されるのです。

精巣に蓄えられていた精液が尿道を流れていく時間は、ほんの数秒。男性のオーガズムは、このわずかな時間で終わってしまいます。

水鉄砲のようにビュッと噴き出たり、したたり落ちるように流れ出たり、射精の勢いはさまざまですが、精液の量は2〜4㎖といわれています。射精の勢いや、精液の量の多い少ないは、快感の度合いと比例するものではありません。

泌尿器科の医師によると、若い男性ほど精液が元気よく飛び出し、酒を飲んで酔った状態ではだらだらとした射精になるそうです。このように勢いのない射精は、実は高原期の段階からカウパー腺液に混ざって、いくぶんかの精液が漏れている可能性がありま す。ですから、妊娠を望まないカップルの場合は、挿入前からコンドームをつけるようにしましょう。

●プロセス4　消退期…恋人と気だるい余韻にひたる時間

オーガズムの強い快感から1分も経てば、ペニスから血が引き上げます。そうなると、勃起がおさまり、ほどなくペニスは通常のサイズに戻ります。持ち上がっていた陰のうも再びだらりと垂れさがった状態になるでしょう。

これが消退期ですが、男性にはその後〝無反応期〟といって、興奮したりペニスが勃起したりといった性的反応を起こすことがまったくできなくなる時間があります。年を重ねるにつれこの無反応期は長くなります。若いころは一晩に何度でもできたのに……と嘆く人もいるようですが、これは性機能の衰えというより、全体的な身体機能の低下に原因があるようです。射精の後は全身の筋肉が弛緩し、満足感、幸福感が残ります。「まだまだ若い！」とムキになってすぐに2回戦に挑むよりも、彼女と一緒にこの余韻にひたるほうが、すてきな時間を過ごせるのではないでしょうか。

女性のオーガズム＝痛みを忘れるほどの強烈な絶頂感

●プロセス1　興奮期…性欲に火がつくとラブジュースがあふれ出す

早くベッドインしたいのに、なかなか彼女がその気になってくれない……そんなときあなたは、女性の性感帯や性器に、直接触れていませんか？

性欲のスイッチがオンになっていない女性の身体にむやみに触れても、いやがられるだけ！　女性は全身への愛撫によって興奮しやすいため、下着姿でハグしあったり、抱きしめて髪や背中をやさしく撫でたりといった、男性にとってはちょっと物足りないぐらいソフトなスキンシップから始めたほうが、実は近道なんです。焦りは禁物。全身へのやさしいタッチから、耳や首すじ、乳首など感じやすいパーツへの愛撫に移行すると、彼女の身体は自然に開いていきます。

興奮期に入った女性は骨盤が充血し、膣の壁から〝愛液〟〝ラブジュース〟などといわれる、さらさらした潤滑液が染み出てきます。いわゆる〝濡れる〟という状態です。ラブジュースは、女性が感じはじめた証拠。これは間違いありませんが、その量が多いほど、彼女が興奮している、感じているということは断じてありません。

ラブジュースの量には個人差があります。 そもそもラブジュースの正体からしていまだ多くがナゾに包まれているのですが、その成分には汗のようなものも含まれているというのが通説です。

炎天下で同じように暑いと感じていても、たくさん汗をかく人と、そうでもない人がいるように、シーツをぐっしょり濡らすぐらいに分泌する人も、あまり濡れずにローションを常用している人も、どちらも等しく快感に溺れているということは、十分にありえます。ラブジュースの量は、体質や体調によって大きく左右されるのです。

実際、あまり水分をとらず脱水症状に近い状態でセックスをすると濡れにくいといわれています。「朝は濡れにくいからセックスしたくない」という女性がいますが、これは寝ているあいだに汗をかいたせいで身体のなかの水分が少なくなったからと考えられます。アダルト作品などに出演する女性のなかには出番の前に水をたくさん飲んでおく人もいるそうです。

また、年齢を重ねれば、ホルモンのバランスが変わり、ラブジュースの量も少なくなります。多い、少ないに気をとられるのではなく、**彼女なりの濡れ方を把握する**のがよいでしょう。

興奮期のもうひとつの特徴に、クリトリスが大きくふくらんでくる、というものがあります。女性だけにあるこの器官は、興奮すれば自然に勃起するものですが、指や舌でそっと触れられると刺激に反応して、ますます敏感で感じやすくなります。クリトリスは男性でいえばペニスに相当する器官ですから、反応もよく似ていますね。あなたのやさしい愛撫で彼女が感じるほど、ラブジュースの量も増え、少しずつ挿入に向けての準備が整ってきます。

●プロセス2　高原期…性器が色づき、花開く

興奮期が快感のウォーミングアップだとすれば、高原期から助走が始まります。オーガズムというラストスパートにスムーズに移行できるよう、焦らず無理せず、彼女の身体の変化を観察しながら、ていねいに愛撫することが大切です。

助走に入ったかどうかは、彼女の性器をよく観察すればわかります。外陰部が色づいた果実のように赤みを増し、さらに膣口がペニスを受け入れられるよう広がりはじめます。

これらの変化は、できれば目で見て確認したいところですが、性器をまじまじと見られるのが好きでない女性もいるので、そんな彼女の場合は、小陰唇に触れてみましょう。

充血し、これも果実にたとえるなら、まさに熟れごろといった様子でふっくらと肉厚になっているはずです。

彼女の性器がここまで反応していれば、**指やペニスを膣内に挿入してもOK**です。男性を受け入れると、膣は神秘的ともいえる変化をとげます。入口から3分の1までは膣壁はさらに充血してぽってりと厚みを増し、挿入された指やペニスをぎゅっとグリップします。その一方で、膣の奥には空間ができるため、あなたはペニスや指を女性のなかで自由に動かすことができるのです。

Gスポットや子宮頸口＝ポルチオを上手に刺激してあげると、血圧や脈拍が上昇し、全身の肌が紅潮していきます。呼吸数が増え、短く喘ぐようになり、オーガズムに向けて加速していくのです。

●プロセス3　オーガズム期…我を忘れそうなほどの絶頂感

あなたのペニス、あるいは指が膣を出たり入ったりするたびに、彼女はますます感じ、膣はあなたを奥まで受け入れようと、あやしくうごめきます。頬が紅く染まる、高い声で喘ぐ、大きく身をよじらせる……など、快感を知らせるサインが増えてきたら、オーガズムまであと一歩です。

このとき彼女の体内では、目に見えない変化が起きています。骨盤底筋群が緊張をはじめるのです。この緊張感は、オーガズムに向けての心地よい高揚感とともに、全身に広がります。**彼女の手脚に注目してください**。無意識のうちに外へ外へと伸びていくのがわかるでしょう。また、乳房が張ってひとまわり大きくふくらみ、乳首がぷくっと隆起します。

そして、オーガズムが訪れます。

子宮と膣、肛門括約筋が約0・8秒に1回のリズムで収縮します。このとき女性は、我を忘れてしまいそうなほどの気持ちよさに襲われているのです。男性のオーガズムがペニスと睾丸だけに限られているのに対して、女性はこの絶頂感が全身に広がっていきます。

絶頂にのぼりつめたとき、彼女はどんな声を出しますか? アダルト作品では「イク!」と絶叫したり、甘い声ですすり泣いたりという表現がよく見られますが、ほんとうにオーガズムを迎えると、そんなかわいらしい反応をする余裕はなくなるようです。下半身からわきあがってくる快感で、動物が低くうめいているような声をあげる人も少なくないようですよ。

女性でも自覚している人は少ないようですが、オーガズム期の女性は、痛みの感じ方が通常の半分ほどになります。平手でたたいたり、爪で引っかいたりといった、ふだんなら怒られそうなことをしても、女性が痛みを感じにくくなっているため、もしかしたら気づかれもしないかもしれません。

ということは、通常ならやや乱暴に思えるぐらいの、激しいボディコンタクトをしても、彼女は平気だということです。腰と腰とを打ちつけるようなピストン運動も、セックスが始まったばかりのときは避けたほうがいいですが、一度オーガズムに達した後は積極的に試してみてください。

同時に、その他の感覚は鋭敏になっているため、肌を1本の髪の毛でなぞるだけでも、激しく感じます。荒々しく出入りするペニスと、敏感になった肌とが、めくるめく官能を呼び起こし、何度もオーガズムに達する女性もいます。一方で深いオーガズムを一度だけ味わうという女性もいます。よく観察したり、コミュニケーションをとりながら彼女の満足度を見極めましょう。そして、彼女の顔に疲れが見えはじめたら、あなたもできるだけ早く射精するようラストスパートをかけてください。

●プロセス4　消退期…興奮が静まり、気持ちが満たされるひと時

オーガズムが終わってからの反応は、男性とほぼ同じです。骨盤のなかに流れ込んできた血がすうっと引き、厚ぼったくなっていた性器も元の状態に戻ります。

ところが、女性がオーガズムに至らないセックスばかり繰り返していると、ここで血液が解放されず、骨盤にたまったままになるのです。ひどい場合は、腰骨や、股関節周辺に強い痛みを感じる〝骨盤痛〟という病気につながることもあります。ここでもオーガズムに達したほうが、女性の健康にとってよいことがわかりますね。

無事に血が引いた後は、心地よい気だるさと、満足感が残るだけ。充実したセックスの後には気持ちが穏やかになるので、ぐっすりと眠ることができますよ。

女性だけの特権！
膣以外でもイケるんです

あなたと彼女がペニスを介してひとつにつながり、ふたりともにオーガズムを得られる――これは、カップルたちにとって、とてもすばらしい体験です。けれど、膣で絶頂に達する女性は、実は少数派なのです。

彼女がマジョリティ、すなわち膣でイケない女性だとしても、あなたが落胆する必要はまったくありません。女性の身体にはほかにもオーガズムを得られる器官がいくつもあるからです。膣だけにこだわるのはナンセンス！　ふたりで快感を追求するなら、彼女が確実にオーガズムを得られるポイントを愛撫してあげましょう。

そんな快感のツボとでもいうべきポイントを、いくつか紹介します。

●男性にも快感が伝わるクリトリスのオーガズム

女性がマスターベーションのときに愛撫する場所として、〝クリトリス派〟は〝膣派〟を大きく上回ります。自分の身体のうちでそこが最も敏感かつ、快感を得やすいポイントだということを、女性はよく知っているんですね。生まれて初めて得た性的快感が、クリトリスによるものだったという女性も、男性が考えているよりずっと多いようです。

膣でのオーガズムは全身に広がりますが、クリトリスの絶頂は下半身がしびれたようになります。感じ方が違うのですから、どちらのほうがどれだけ気持ちいいといったふうに比較できるものでもありません。

こんな敏感なポイントを、女性ひとりの楽しみだけにとどめておくのは、とてももったいないことです。男性のみなさんは、どんどん触ってあげてください。前戯の際に78ページからの「実践篇」にあるようなテクニックを駆使して、絶頂へとリードするだけでも彼女は悦びますが、おすすめはふたりがつながっているときに、クリトリスを刺激してオーガズムへと導くことです。

これは医学用語で〝ブリッジ〟と呼ばれるテクニックですが、男性が膣内にペニスを挿入した状態でクリトリスが絶頂に達すると、**ふたりで同時に強い快感を味わえます。**

膣内で快感を味わっているとき、膣壁（膣内のヒダ状の筋肉）が奥から入口に向かって波打つように収縮します。これがクリトリスがオーガズムに達することで、逆方向に変わるのです。入口から奥へ――まるで挿入されたペニスを子宮の奥へ奥へと飲みこもうとするかのようで、男性にとっても大きな快感となります。

幸運なことに、どのような体位でつながっていても、クリトリスは触れやすいところにあります。正常位なら彼女に脚を開かせて、後背位なら彼女の腰を抱えこむようにして背中から手を回し、敏感な芽を刺激するとよいでしょう。ピンクローターなどの道具を利用するのも気分転換になっていいですよ。

●妊娠を促す子宮頸《けい》部＝ポルチオのオーガズム

膣の奥、子宮の入口にも〝イケる〟ポイントがあります。子宮頸部、最近では〝ポルチオ〟という呼び名が広まっているので、耳にしたことがある人も多いでしょう。

ここで得られる絶頂感は、膣やクリトリスで起きるそれと匹敵するくらい強烈なもの

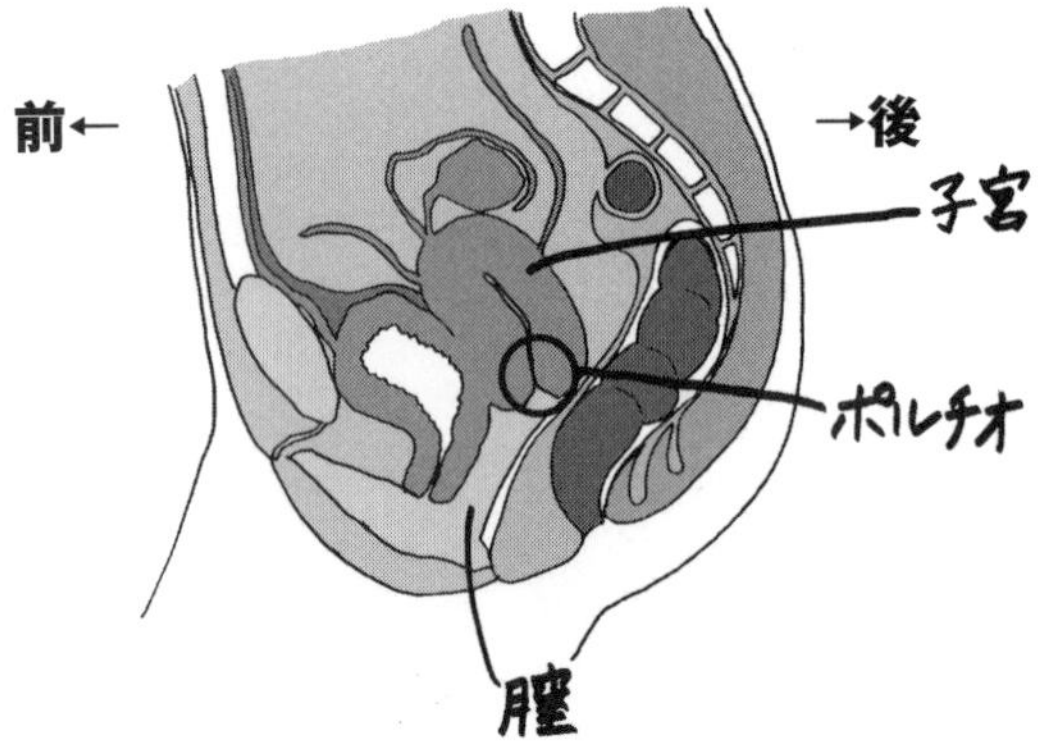

ですが、ポルチオのオーガズムには他にない特徴がひとつあります。それは、**妊娠の可能性が高まる**ということです。

もし、あなたと彼女が子どもを望んでいるカップルならば、彼女のポルチオをオーガズムまで導いてから、あなたが射精してください。

すると、あなたが放った精液は、まず〝円蓋部《えんがいぶ》〟という膣のいちばん奥の部分に溜まります。この円蓋部が、ワインを入れるためのグラスのようなものだと思ってください。

そして、ワインが大好きな人がいて、いままさにグラスの縁に口をつけているとします。この口が、ポルチオなのです。

オーガズムを迎えたポルチオは、下から上へと収縮します。ちょうどワインをぐいぐいと飲み干すように、強力な圧力で精液を子宮の中へと飲みこんでいくのです。

オーガズムが何のために起こるのか――医学が進歩した現代でもこれはまだ解明されていません。ただ、ポルチオでのオーガズムを見るかぎり、その目的が妊娠にあることは明らかですよね。子孫を繁栄させるためには、セックスが不可欠。オーガズムとは、できるだけ人間がセックスをして子孫を増やすよう、神様が人間の身体にプログラムした、ご褒美のようなシステムなのかもしれません。

●特殊なパーツでオーガズムに達する例

膣、クリトリス、ポルチオのほかにも、乳首や肛門といったところで絶頂感を得られる人もいます。これに関しては男性も同様で、乳首への愛撫でイク例や、睾丸を刺激されることでオーガズムまで達する例も報告されています。

とはいえ、男女ともに外陰部、内陰部以外のパーツでイクのはきわめて特殊なこと。オーガズムに導こうとして、執拗に触るのはやめたほうが賢明です。

●ブレンド・オーガズムは女体の神秘

女性のオーガズムが実に複雑で、奥深いものだと思い知らされる現象に〝ブレンド・オーガズム〟というものがあります。

これは、膣内のGスポットやポルチオで得たオーガズムの快感が身体全体に広がり、乳房や乳首、クリトリス、肛門などの性感帯が連動してオーガズムに達することです。全身で迎える絶頂感は強烈！「カミナリが走り抜けるような感覚」と表現する人もいます。

残念なことに、男性にはこの〝ブレンド・オーガズム〟は起こりません。ペニスのオーガズムはペニスだけの快感、まれに睾丸などその他の場所で絶頂に達したとしても、それはその場所だけの快感にとどまります。

ブレンド・オーガズムは女性だけに許されたプレゼントのようなもの。実に神秘的な現象だと思いませんか？

イケない女性はいません。正しい愛撫でオーガズムに導きましょう

女性の心身に深い満足感をもたらすオーガズム。「はじめに」でも断言したとおり、すべての女性は必ずイケます。その可能性を、体内に秘めているのです。

しかし、**オーガズムは自然と身につくものではありません。**年齢を重ねても、セックスの回数を重ねても、なかなかイケないという人は多くいます。何度かオーガズムを経験し、女性が自分の身体で覚えこまなければ、日常的に絶頂感を得るのは難しいのが実情です。

アメリカで大学生659人に対して調査を行ったところ、初めてのセックスでオーガズムに達した男性は79%だったのに対し、女性はわずか7%でした。射精というごくシンプルなオーガズムに終わる男性は学習の必要がないのに対し、複雑で多様な女性のオーガズムは、経験を重ねながら身体で覚えていくものということがよくわかる統計で

す。日本でも次のような統計があります。

過去1年間のセックスでオーガズムはありましたか?

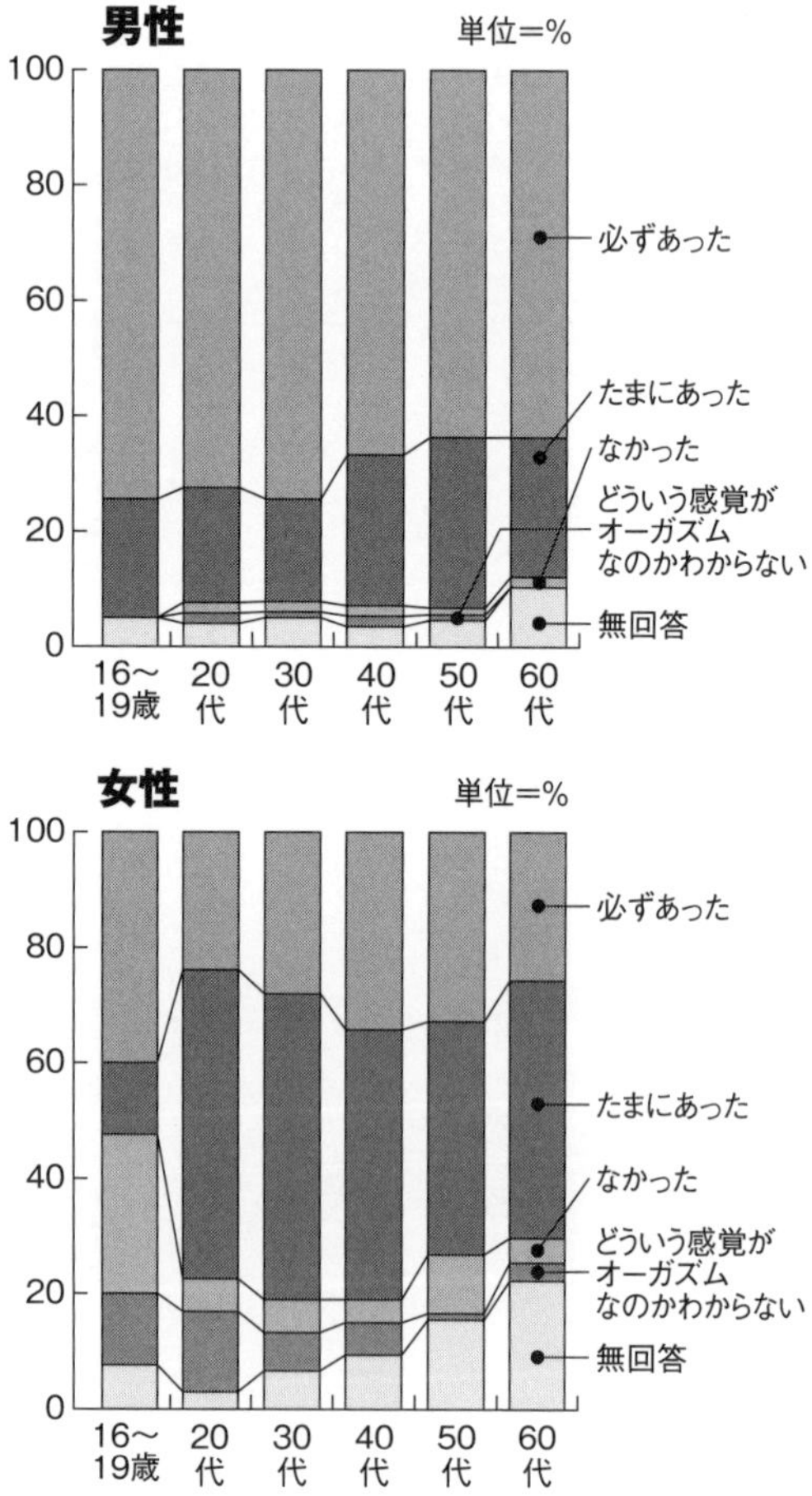
男性
単位=%
100
80
60
40
20
0
16〜19歳
20代
30代
40代
50代
60代
必ずあった
たまにあった
なかった
どういう感覚がオーガズムなのかわからない
無回答
女性
単位=%
100
80
60
40
20
0
16〜19歳
20代
30代
40代
50代
60代
必ずあった
たまにあった
なかった
どういう感覚がオーガズムなのかわからない
無回答

特定の異性とのセックスにおいて、必ずオーガズムを感じていたという女性は、年代を問わず全体の3分の1以下です。男性は全年代を通して70％以上がセックスのたびにオーガズムを得ているのに対して、女性の数値がいかに低いかがわかるでしょう。

女性を性的快感の絶頂へと導くのは、それほど難しいことなのでしょうか？

実は、女性を必ずオーガズムに導くことができるひとつの法則があります。

交感神経＋ソフトな刺激で一定のリズムの愛撫＝オーガズム

交感神経とは、興奮を司る神経のことです。これを刺激するのが、彼女をオーガズムへ導く第一歩。具体的には、「セックスをしたい」という彼女の欲求を盛り上げ、それを持続させることです。

夫婦や同棲カップルなら、ふだんの生活空間だと照れくさかったり、なかなか気分が乗らなかったりといったこともあるでしょう。旅行に出かけたり、時にはラブホテルを利用したり、彼女がセックスに没頭できるシチュエーションを用意するといいでしょう。

あなたから与えられる快感に集中できる環境であれば、一度火がついた交感神経をキープできます。

　彼女が興奮期に入ったら、愛撫しながら彼女の気分が昂まるようなことを耳元で絶えず囁きかけてください。「愛してる」「きれいだよ」という甘いことばで身体が反応する女性もいれば、アブノーマルなことばや卑猥な表現で興奮し、交感神経がより活発になる女性もいます。彼女の嗜好を把握しておくことが大事ですね。

　こうして彼女の頭のなかをセクシャルな気分でいっぱいにしたうえで、膣やクリトリスを刺激します。「そんなのいつもやっているよ」と思われるかもしれませんが、重要なポイントがあります。それは**「むやみに速くしない」「強くしない」**です。

　女性をイカせようとして、いつも指やペニスの動きを速くしていませんか？　これは、男性の悪いクセです。はやる気持ちはわかりますが、オーガズムに激しい刺激はいらない、ということを常に頭の片隅において、彼女の身体に触れてください。女性が感じはじめたときのスピードやリズムを変えてはいけません。淡々とした愛撫、これこそが極意なのです。

このふたつの条件がそろえば、女性は間違いなくオーガズムに達します。

簡単なようでいて、なかなか難しい……。という人は、「自分の指やペニスでイカせなければならない」という発想を、一度捨てましょう。ピンクローターなど、アダルトグッズを〝弱〟モードにして使うと、ソフトな刺激を一定のペースで与えられます。

このような、男性には一見、単調に見える愛撫でこそ、女性は簡単にオーガズムに達します。こうして身体がオーガズムを繰り返し経験し、身体で覚えこむことが重要なのです。何度か学習すれば、あなたの指やペニスでも快感のクライマックスを迎えることができるようになるでしょう。

産婦人科医は見た! ① Column

産婦人科医である私の主戦場は、もちろん外来。ここにはいろんな人がやってきます。赤ちゃんを授かった幸せなお母さん、病気と向き合う勇敢な女性……。

なかには、セックスの悩みを持って訪れる人もいます。こうした悩みは、セックスカウンセラーに相談に乗ってもらえます。心配事がある人は産婦人科医院で、最寄りの、もしくは相談内容にあったカウンセラーを紹介してもらうなど、積極的に利用してみるといいでしょう。

セックスの経験が多い人も少ない人も悩みはつきないもの。そのなかでも"初体験"については、驚くような悩みを抱えた人は意外と多いものです。

「結婚したのでセックスの仕方を教えてください」といってくる女性もいれば、彼氏と何度トライしても、痛くて痛くて挿入できない……と訴えてくる女性もいました。この女性については、調べてみたところ膣の入口にあるヒダ、いわゆる"処女膜"が非常に固かったのです。手術で切開して、初体験に再チャレンジしてもらいました。

そのなかで最もインパクトがあったのが、膣から大量出血し、救急で運ばれてきた女性でした。

聞いてみると、彼氏と初体験を試みたところ、吹き出すように血が出てきたとのこと。処女膜が破れるときに出血するのはよくあることですが、ここまでの量、勢いにはならないはず。

疑問に思って検査すると、膣の内部がまるでナイフで斬りつけられたように、ザックリ切れていました。彼女は恋人と初めてのセックスをしようとしていただけなのに、どうしてこんなことが……?

→答えはp56の「産婦人科医は見た! ②」へ

Chapter 2

感じるところ、感じにくいところ

好きな人に触れられれば、全身が性感帯に！

たとえばあなたの彼女が会社で、翌日に控えたプレゼンテーションの資料を作成しているとき、背後から上司に「期待しているよ」とポンとやさしく肩を叩かれたとします。彼女は励まされたことをうれしく思うことはあっても、セクシャルな感覚を覚えることはないでしょう。

けれどその夜、あなたが彼女を背後から抱きしめ、産毛が生えたうなじから肩へと続くなだらかなラインに、触れるか触れないかのようにして唇を這わせたときはどうでしょう?

彼女は思わず身をよじらせ、肌にはうっすらと鳥肌が立ちます。彼女が性的に敏感な体質だったり、性欲を強く感じているときなら、それだけで濡れてしまうかもしれません。

これが〝性感帯〟です。

自分で触れたり、同性や性的な対象ではない異性に触れられても何も感じないのに、相手が恋人だったり、セクシャルな気分になっているときには快感を覚え、**性欲が刺激される場所**のことです。

セックスでは必ず膣で快感を得られる女性も、病院の産婦人科で診察を受け、器具を膣内に入れたときに気持ちよくなることは断じてありません。誰もが、いつでも、どんなシチュエーションでも必ず気持ちよくなってしまう場所なんて人体にはないのです。

では、この逆はどうでしょう？　セックスをしたいという欲求や相手への気持ちなど、メンタル面での条件がそろえば、全身が性感帯になるでしょうか？

答えは、イエスです。男女とも、性欲を感じている相手に触れられれば、頭皮からつま先まで、至るところが気持ちよくなり、性的快感を覚えることができるのです。

〝不感症〟という言葉がありますが、これは医学的なものではありません。そんな病気はありませんし、生まれつき性的快感をまったく感じない人というのは、まずいないと言い切っていいでしょう。

男女とも感じにくいのだとすれば、それはセックスの経験が浅くてまだ性感帯が開発されていないか、メンタル面に問題があるか、どちらかです。身体が健康なら、まったく感じない、触れられても痛いだけの場所というのは本来ありません。時間をかけてゆっくり開発していくなり、精神面のケアをするなり、解決法は必ずあります。焦らずに取り組んでください。

神経の多いパーツは男女ともに感じやすい

恋人に触れられれば身体のどこでも性感帯になる可能性があるとはいえ、もともと感じやすい場所、感じにくい場所というのがあります。

それを見極めるヒントは、**神経が多いか少ないか**です。左のイラストでピックアップしたのは神経が多く通っている個所、すなわち触れられると気持ちよくなる可能性が高

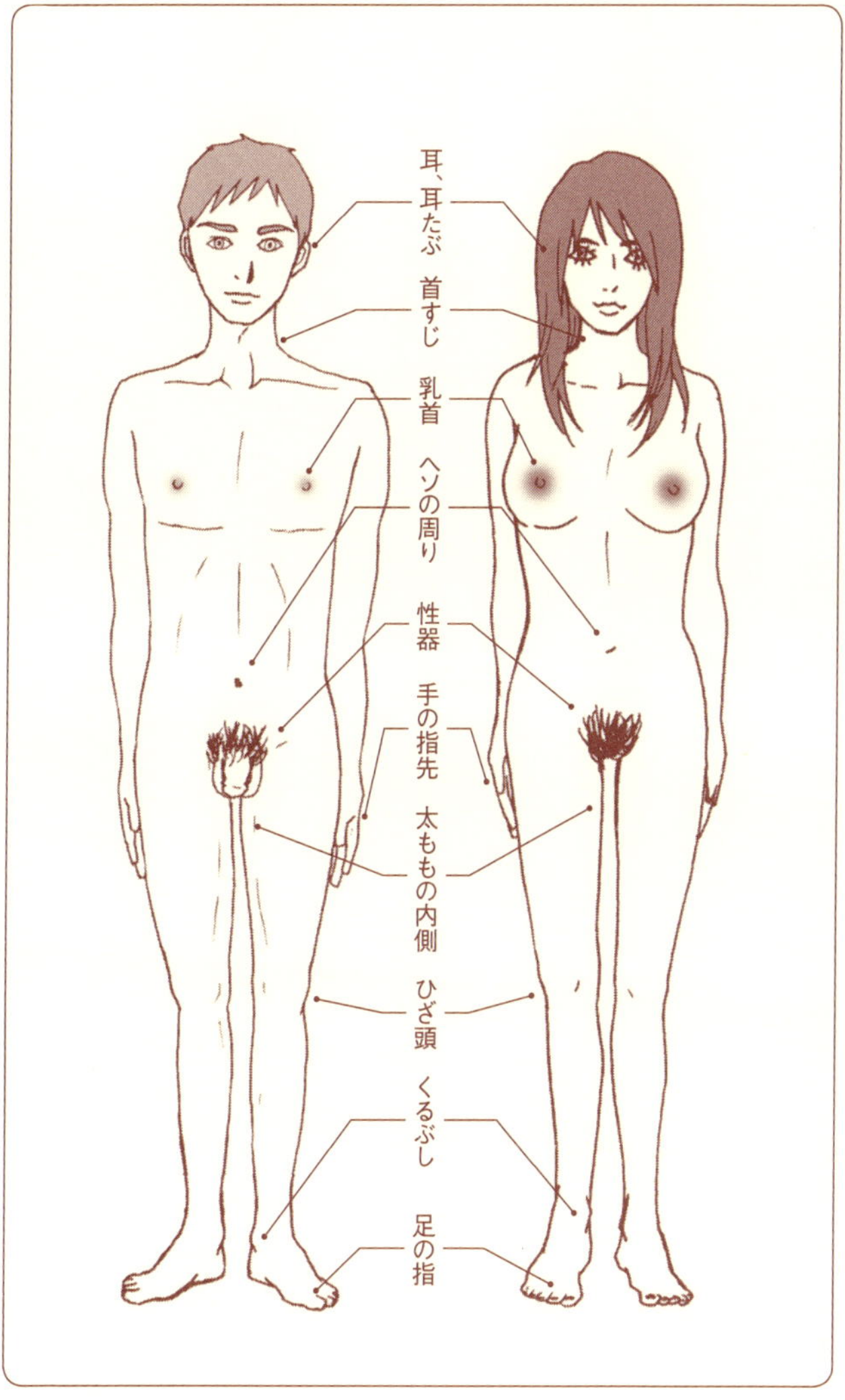
耳、耳たぶ
首すじ
乳首
ヘソの周り
性器
手の指先
太ももの内側
ひざ頭
くるぶし
足の指

い場所です。これには男女差はありません。

反対に背中や二の腕など、神経が少ない場所は、感じにくい傾向にあります。

実は、女性の乳房やおしりも、これに該当します。ほとんどの男性にとって見るのも触れるのも大好きな〝おっぱい〟ですが、むやみに触れられるだけではあまり気持ちよくないのが女性の本音……。ただし、例外はあります。それは、たしかな愛情を感じるときです。自分の身体で最も女性らしい部分が愛する男性の手や唇で愛されているという実感によって、女性はエロティックなムードになり、快感を覚えるのです。

男女とも、最も敏感で最も気持ちよくなれる性感帯とは、言うまでもなく〝性器〟です。

では、次に性感帯が集中している性器について、男女別に解説しましょう。

●女性の性器は目に見えないところまで性感帯の宝庫

女性の性器はとても複雑な構造をしています。そして目に見えている部分にもそうでない部分にも、性的に敏感な個所がたくさんあります。

外側に露出している〝外陰部〟には、まず小陰唇と大陰唇があります。ひだ状になっ

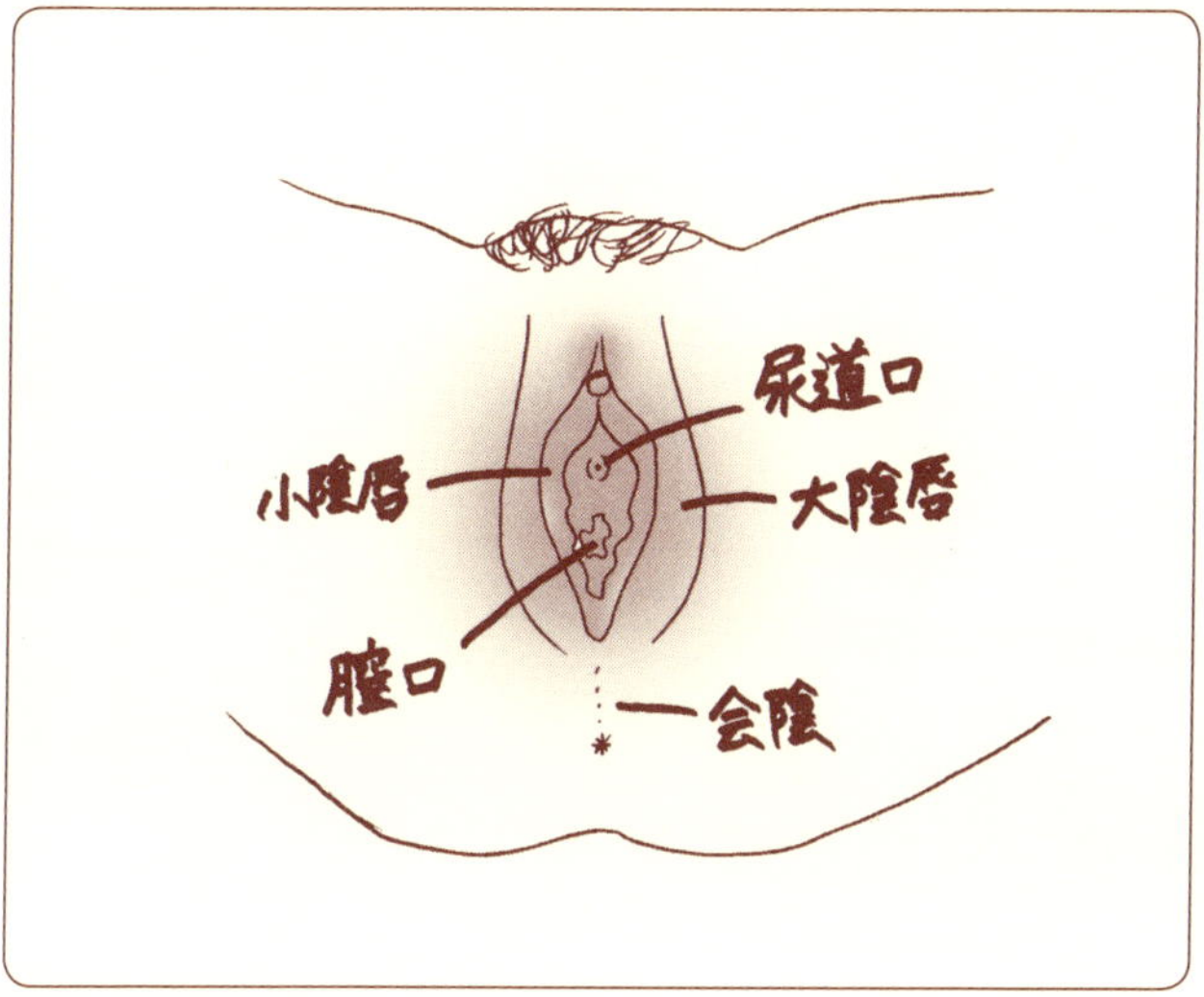

ている人もいるため、〝花びら〟にたとえられることも多い個所です。もともとはクリトリスや尿道、膣口といったデリケートな部分を保護するという大事な役割を持った器官です。クリトリスと神経がつながっているため、指や舌で揉むように刺激すると、程度の差こそありますが大多数の女性は気持ちよくなります。この部分が気持ちよくなってくると、ラブジュースが多く分泌されたり、クリトリスがふくらんだりといった反応も見られるでしょう。特に大陰唇は、男性でいえば陰のうにあたる器官といわれているので、感じ方もよく似ているようですね。

陰唇の下側にある肛門も、性感帯のひとつです。指や舌を使って、彼女の肛門の入口にやさしく触れてみましょう。最初はくすぐったがるかもしれませんが、慣れると身体の力が抜けるような、気持ちのいい感覚が下半身全体に広がります。ただし、内側の粘膜部分に指やペニスを挿入するのは、ケガや病気につながる危険があるため、おすすめしません。

目に見えない場所には、Ｇスポットとポルチオという、女性の〝2大性感帯〟があります。36ページのイラストをもう一度確認してください。男性にとってはミステリーゾーンかもしれませんが、この2つの場所をきちんと把握すれば、彼女をオーガズムへ導ける可能性も高くなります。

Ｇスポットは膣口から4㎝ほどのところにあります。彼女に仰向けに寝てもらい、あなたの中指を膣内にさしこんだとします。第一関節を軽く曲げたあたりが、Ｇスポットだと覚えておきましょう。指の腹ぐらいの小さなスポットです。指で触れやすく、挿入時にはペニスのカリの部分がここを擦りあげることになるため、刺激をあたえやすい場所ともいえるでしょう。

最初はわかりにくいかもしれませんが、膣内のヒダのなかでそこだけがザラザラした感触だったり、わずかにくぼんでいたり、何らかの特徴がある女性もいますから、やさしく触れながら探してみるといいでしょう。

一方、子宮の入口にあたるポルチオは、Gスポットと同じく、またはそれ以上に強烈な快感を得られる器官ではありますが、いきなり刺激すると女性は痛がります。産婦人科での内診（膣内を触診すること）で触れられて、痛い思いをした女性も少なくないはずです。触れるとコリコリした感触があるので、男性にもわかりやすいでしょう。これはまだほぐれていない証拠です。繊細な場所ですから、男性はゆっくり時間をかけて愛撫してあげてください。

●男性の性感帯は、ペニスの先端に集中！

ペニスと陰のうからなる男性の性器。女性と比べるとすべてが露出して目に見えていますし、ずいぶんシンプルですが、このなかに、いくつかの性感帯が隠れています。

まずはペニスの先端、ふっくらと張り出した亀頭は、非常に感じやすい部分として知

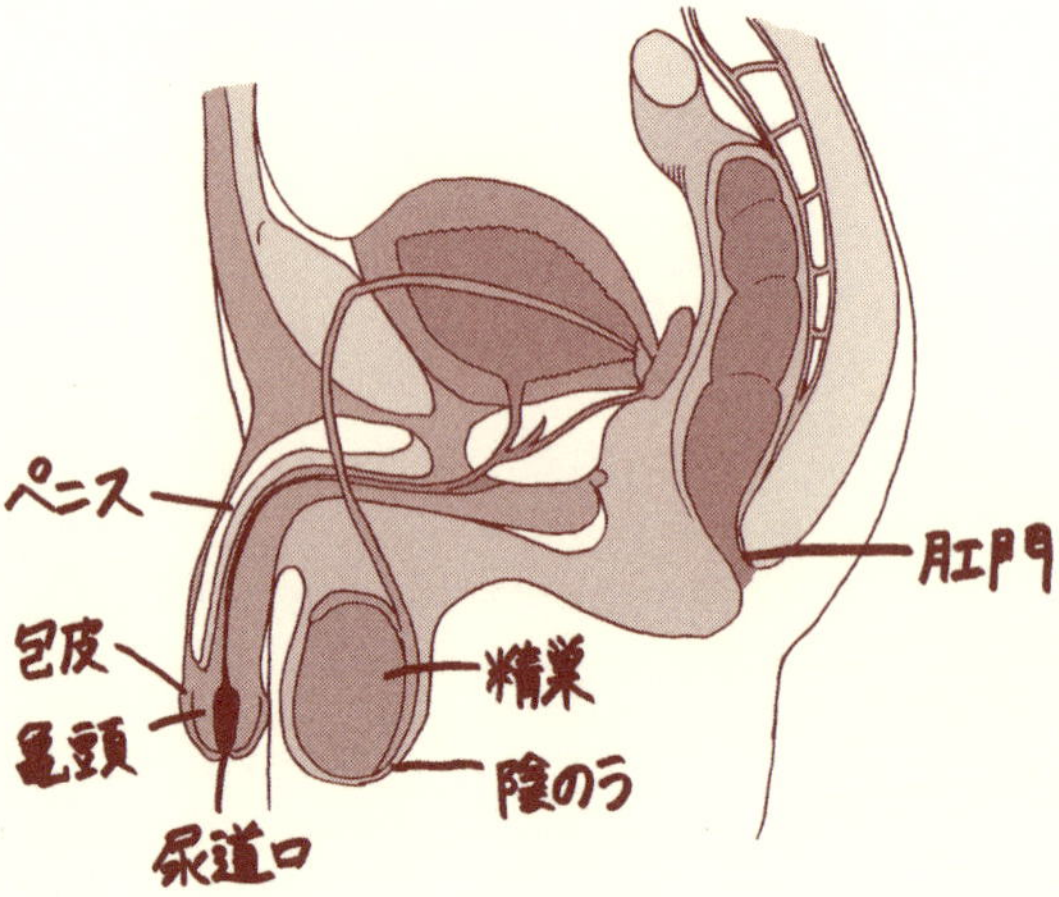

られています。キノコのカサのように張り出した縁は〝カリ〟と呼ばれることが多く、ここがピストン運動のときに女性のGスポットを擦り上げることで、あなたも彼女も同時に気持ちよくなれます。

ペニスの裏側にも注目してください。くしゅくしゅとした皮が中心部に寄り集まって、縫い目のような形になっている部分がありますよね。これが〝小帯《しょうたい》〟です。あまり聞きなれない名前かもしれませんが、亀頭に匹敵するほど敏感な性感帯です。挿入時には、膣内のヒダとの間に起きる摩擦によって、快感を得られます。

また、性器と肛門のあいだにも性感帯があります。医学用語では会陰《えいん》とよばれていますが、〝蟻の門渡り〟という言葉のほうが耳になじんでいるかもしれませんね。皮膚が山脈のように盛り上がっているので、このようにユニークな異名がついたようです。この部分にそっと指を這わせたり、舌で舐めあげたりすると、背筋がざわざわとするような快感を得られる男性はとても多いようですよ。

産婦人科医は見た! ② Column

初体験で膣内がザックリ切れて大量出血した女性。彼女を斬りつけたのは、なんと“カマイタチ”でした。そうです。かつては妖怪や、超常現象だと思われていたカマイタチです。触れてもいないのに、鋭い鎌で切ったようなキズができる現象の正体は、つむじ風のような小さな旋風が起こったとき、中心にできる真空状態だといわれています。この部分に皮膚が触れることで、すっぱりと切れてしまうのです。

彼女の恋人のペニスが膣内に入ったとたん、どういうわけか彼女の膣内に真空状態ができてしまった……というのが真相のようです。はっきりとした原因や、仕組みはよくわかっていないこの事件、あらためて人体、女性の身体の仕組みの不思議を思い知りました。

一方、ちょっとしたイタズラ心や、一風変わった嗜好が思わぬ事態に発展して、来院する人もいます。膣内に挿入したものが取れなくなっちゃう! というパターンがいちばん多いですね。もちろん、女性の膣に入れるのが、指やペニスに限らないのは、みなさんもご存じのとおり。バイブレーターをはじめとするアダルトグッズなど異物を入れて楽しむ人も、世の中にはたくさんいます。

私が取り出しただけでも、リップスティックや花束、アイスの棒、ゆで卵……など驚くべきものがたくさんあります。

セックスの悦びを見いだすために、身近なものを利用する、というアイデアはすばらしいですが、なかには衛生的でないものもありますし、一度、膣の奥に飲み込まれたら自分の手では取り出しにくいものもあります。くれぐれも彼女の身体を傷つけないよう心がけてくださいね!

Chapter 3

セックスを始める前に……

男性がよりエレクトし、女性がもっとオープンになれる雰囲気作りを！

ふたりきりになったとたんにガバッと襲いかかる――これはセックスの始め方として論外です！　こんな男性は、必ずといっていいほど女性に嫌われますが、このように興奮して急激に始めるようなやり方は、男性にとってもよいことではありません。

興奮すればするほど勃起するという考えは、実は間違い。身心ともに適度にリラックスしたほうが、ペニスはエレクトしやすいのです。

そのためには、ふたりが打ち解けられるムード作りが必要です。これは、やたらと甘ったるい雰囲気にしなければならないという意味ではありません。ふたりがともにくつろげて、互いの身体と自分の快感に集中できる空間であれば、あなたのペニスはより元気になり、また彼女の身体も開きやすくなります。

もうひとつ、忘れてはならないことがあります。それは、清潔感。相手を不快にさせないことは、最低限のマナーです。恋人同士とはいえ、親しき仲にも礼儀あり。パートナーの身体がクリーンで、自分にとって安全だと確信できてこそ、相手にすべてをゆだねたいという気持ちになるものです。

そんな状況を作り出すために気を遣いたいポイントを、ムード篇 ボディ篇 でチェック！　全項目をクリアすると、より豊かで充実したセックスをふたりで楽しめますよ。

ムード篇　～五感をリラックスさせて理想の空間を作る～

くつろぐための雰囲気を演出するといっても、インテリアに凝ったり、特別なものを用意する必要はまったくありません。視覚、聴覚、嗅覚など、五感に心地よい刺激を与えることで、身も心も自然に穏やかで、リラックスした状態になります。

●照明は落ち着いたトーンにする

煌煌《こうこう》と電気がついた明るい部屋でリラックスするというのは、とても難しいことです。

なかでも蛍光灯は避けたほうがいいでしょう。部屋のなかをはっきり照らし出す蛍光灯は、緊張感を保ち、いろんな作業を効率よく行うためのもので、オフィスやキッチンに最適の照明です。ふだんの生活でも、リビングや寝室など、落ち着いて過ごしたい場所では使いませんよね。

あたたかみのある色のライトにするだけで、ふたりの距離は一気に縮まります。間接照明も効果大！　キャンドルを灯《とも》すというのもロマンチックでいいですね。夫婦や同棲カップルが自宅でセックスする場合は、こうすることで日常的で雑多なものが目に入りにくくなり、行為に没頭できるというメリットもあります。

●BGMは彼女の好みに合わせて

誰にでも、くつろぎたいときに聴く音楽というのがありますよね。そうした音楽は、人工的な音ではなく、ジャズや、ボサノバ、ハワイアンなどナチュラルな楽器で奏でられるジャンルが多いですよね。ムードをよくするには、これで十分。

さらに心配りをするなら、インストゥルメンタルのみの楽曲がベター。歌詞に気をとられるとリラックスしにくいものです。また、自分の趣味からはずれた音楽を聴かされるというのも気が散って快感に集中できない原因に。彼女の嗜好もよく把握しておくことをおすすめします。

●古くからセクシーとされる香りを使ってみる

人間が最も性的興奮を誘われる香りは、異性の汗のにおいだといわれていますが、私たち東洋人は一般的に体臭があまりないうえに、これをシャワーで洗い流すとほとんど気にならなくなります。

嗅覚を刺激するには、お香やアロマなどのルームフレグランスを上手に利用して、リラックス&セクシーな空間を作り出すといいでしょう。

たとえば〝イランイラン〟というアロマオイルは、エキゾチックな香りで緊張や疲れをほぐす一方、催淫効果があると古くからいわれています。また、日本にも〝麝香《じゃこう》〟という香りがあります。最近ではムスクともいわれていますが、平安時代の昔からセクシーな香りとされてきました。ジャコウジカの分泌物、つまりフェロモンの一種を乾燥させたものを原料としていますから、官能をくすぐられるのも道理かもしれませんね。

●ランジェリーの正しい選び方

〝勝負下着〟ということばから連想するのは、ゴージャスで挑発的なデザイン。そんな刺激的な演出もときには有効ですが、ランジェリー選びで重視したいのは、肌触りです。

男性のなかには彼女にランジェリーをプレゼントしたいと考えている人もいるでしょう。そんな場合は、まず素材にこだわってください。シルクなど肌触りがよいものを選べば、しっとりと気持ちのいい感触と、彼女の体からうつったあたたかい質感とで、スキンシップの時間が自然と増えます。女性は局部よりも身体全体のスキンシップで気持ちよくなりますから、彼女がその気になるチャンスが増えるかもしれませんよ。

またカラーセラピストによると、数ある色のなかで赤紫が最も人の官能に火をつけるようです。日本人の肌色にもよく似合うカラーなので、参考にしてみてくださいね。

ボディ篇　～すみずみまで清潔にして安心感を与え合う～

肌と肌、粘膜と粘膜を直接触れ合わせるだけに、身体を清潔にしておくことはとても大切。ケガや性病などで、彼女の心身を傷つけたくはありませんよね。お互いの身体への安心感は、信頼や愛情と切っても切り離せないものです。

●爪は短く整え、手をきれいに洗う

女性の膣内の粘膜はとても繊細です。あなたの爪がのびていると、なかに入れたときに彼女が痛がり、オーガズムどころか快感すら得にくくなります。また、粘膜にキズをつけると、細菌が侵入しやすくなり、場合によっては深刻な病気の原因にもなります。彼女の身体を思いやるなら、爪は短く切りそろえ、ベッドインの前に念入りに手を洗ってください。

●「あえてシャワーを浴びない」という選択肢もあり

異性の汗のにおいは性的興奮を呼び起こします。これは特にアブノーマルな趣味とい

うわけではありません。このにおいをかぐと性欲に火がつくように、脳にインプットされているのです。

においの元は、ワキの下や陰部から分泌される〃アポクリン汗腺〃。この動物的かつセクシーな香りで気分を盛り上げるというのも、ときには新鮮でしょう。

ただ、このアポクリン汗腺は、ワキガの原因にもなるものなので、不快に感じる人もいるかもしれません。相手の反応次第では、しっかりシャワーを浴びて洗い落としてください。

●オーラルセックスをするなら、陰部を徹底的に清潔に！

シャワーを浴びないシチュエーションでも、フェラチオやクンニリングスなどのオーラルセックスを楽しみたいなら、陰部だけでも清潔にしておきましょう。クラミジアなどの性病は、女性の喉にも感染します。クラミジアはペニスのシワにたまった垢《あか》に生息していることが多いので、しっかり洗えば感染の危険性はゼロにはならないものの、格段に減らせます。

ただし、男女とも粘膜を完全に洗い流してしまっては、かえって細菌などに感染しやすくなります。皮膚と同じ、弱酸性のボディソープを使うといいですよ。

●ヒゲの手入れをする

女性の肌や大事な部分を唇や舌で愛撫するとき、ヒゲが中途半端に伸びているとチクチクとして痛いものです。きれいに剃るか、伸ばしきっているか、どちらかがいいでしょう。

●歯磨きをして、口臭を取り除く

セックスにおいて唾液は重要な役目を果たします。キスでは互いの唾液が混ざりあい、濡れた唇で全身を愛撫されると心地よく、ペニスやクリトリスを刺激するときは潤滑液となります。うっとりとするようなこれらの行為も、口臭があると台無し……。歯磨きやマウスウォッシュを使って息をさわやかにしたなら、彼女に嫌われることはありません。舌の上についた汚れまできれいにオフすれば完璧です！

性感染症は「知ること」が最大の予防

セックスにおけるマナーとして身につけておきたいもののなかに、性感染症についての正しい知識が挙げられます。ＳＴＤ(Sexually Transmitted Diseases)、性行為感染症といわれることもありますが、その名のとおりセックスをすることで感染する病気すべてを指すことばです。

産婦人科には、こうした病気に感染してしまった人が多く訪れます。彼女たちは、単に運が悪かったのでしょうか？　必ずしもそう言い切ることはできません。どうしたら感染するのか、感染したらどうなるのかを知っていれば防げたのではないかと思える場合も多々あるからです。

・複数のセックスパートナーがいる

・コンドームを使わずにセックスをする
・爪が伸びていて膣や外陰部を傷つける
・シャワーを浴びずに不潔な状態でセックスをする

右のような人、および右のような人をパートナーに持つ人は、感染のリスクが高いと思っていいでしょう。

なかには自覚症状があまりない病気もありますし、性器ではなく喉に感染するものもあります。〝セックス〟にはオーラルセックスも含まれるのです。「もしかして……」と思い当たることがある人は、早めに病院に行って検査をしましょう。

たとえば後天性免疫不全症候群、いわゆるＡＩＤＳ《エイズ》について、診察の折に「検査をしますか？」と患者さんに尋ねることがよくあります。そんなとき「感染しているとわかったところで、どうしようもできないんでしょ。だったら、知らないほうが幸せ」といって検査を拒否する人が少なくありません。しかし、感染が早いうちにわかれば、適切な治療法で発病を何十年も遅らせることができるのです。

このように性感染症には正しい治療法があり、そのほとんどは病院で診察を受けて初めて取りかかることができます。まずは〝知ること〟からすべてが始まるのです。

次に挙げるのは代表的な性感染症です。感染したくない、大切なパートナーに感染させたくないと思うなら、これらの病気を常に心に留めておいてください。正しい知識こそが、最大の予防ですから！

●性器クラミジア感染症

クラミジア・トラコマティスという細菌が感染することで起こる。おりものが増える女性もいるが、男女ともに自覚症状がまったくないということも珍しくはない。女性の場合、子宮や卵管を通ってお腹のなかまで広がり、知らないうちに不妊症になることもあるという、非常に恐ろしい病気。

●淋病《りんびょう》

感染すると、女性はくさくて黄色い膿のようなおりものが増え、かゆみがある。男性はおしっこをするときに痛みを感じたり、ペニスの先から膿が出たりする。症状が進むと男女とも、激烈な腹痛に襲われたり、高熱が出たり苦しい思いをする。

●性器ヘルペス

男女とも性器やその周辺に水泡と発疹ができて、激しい痛みを伴う。皮膚の表面に炎症ができたり、高熱が出ることもある。神経が多数集まっているクリトリスにこのヘルペスができると、非常に痛い。一度感染すると再発を繰り返すこともある。外陰部の接触だけでも感染するので、コンドームでは防ぎきれない。

●尖圭《せんけい》コンジローマ

ヒトパピローマウイルスというウイルスが感染することで起きる病気。数カ月の潜伏期間ののち、ペニスや外陰部にイボのようなものがたくさんでき、痛みを伴うこともある。なかには膣内をイボが埋めつくすほどになる人もいる。コンドームでは防ぎきれないこともある。

●トリコモナス膣炎

トリコモナスという原虫が原因で起こる病気。女性は黄色くて泡立ったようなおりものが出て、強烈なにおいを発する。外陰部が痛がゆくなる。

●後天性免疫不全症候群(AIDS)

ヒト免疫不全ウイルス(HIV)というウイルスに感染し、数年の潜伏期間を経て免疫力が低下したときに発病する。感染症や悪性腫瘍を患い、数年で死に至ることもある恐ろしい病気。

●梅毒

梅毒トレポネーマという病原体に感染すると起こる。感染後2~3週間はペニスや外陰部にしこりができ、2~3カ月後には身体中に発疹ができる。早期に治療すれば治るが、進行すると脳の神経が侵されることもある。また感染した女性が妊娠すると、赤ちゃんにまで感染してしまい、先天的に奇形を持って生まれることもある。

●毛ジラミ

体長1㎜程度の毛ジラミが、主に陰毛に付着する。成虫、幼虫ともに1日に数回吸血し、これによって激しいかゆみが生じる。成虫の寿命は約1カ月だが、1匹のメスは生涯に約200個の卵を産む。陰毛の接触で感染するので、コンドームでは防げない。

望まない妊娠を、回避するために

望まない妊娠をして病院を訪れた女性を診察することは、産婦人科医にとってもっともつらいことのひとつです。赤ちゃんの命、傷ついた女性の心と身体……すべてが救われず、夫婦やカップルの関係にも修復しようのない大きなヒビが入ってしまうという場面を何度も見てきました。

そのような不幸を少しでも減らすために「避妊」についての意識を男女とも今以上に

高めてほしいと切に願います。

また、特に女性は「このセックスで妊娠しちゃったらどうしよう」と不安感を持ったままセックスをすると、オーガズムが得られにくくなるという研究結果があります。

次に挙げる避妊法から自分たちの身体やライフスタイルに合ったものを選び、不幸な妊娠は必ず未然に防いでください。心も体も解放されてセックスに臨むようにすることが、何よりもふたりの愛情を深めるはずです。

●コンドーム

男性の性器にかぶせるゴム製やウレタン製のカバー。コンビニエンスストアや薬局で購入できるため、最も手軽な避妊法といえる。射精の直前に装着する男性も少なくないようだが、セックスの初めから着けないと意味がない。挿入の途中でずれたり破れたりするケースも多く、避妊法としては確実とはいえないが、性感染症防止には非常に効力を発揮することから、安全なセックスには必須アイテムといえる。

●低用量ピル

女性用の経口ホルモン剤。正しく服用すれば、ほぼ１００％の避妊効果が得られる。女性自身の意志や判断によって妊娠をコントロールできるのが最大の特徴。副作用は少なく、月経不順や月経過多の人には、症状が緩和し、月経が規則的になったり軽くなったりするという、うれしい副効用もある。使用にあたっては医師の処方が必要。毎日服用しなければ効果がないものなので、飲み忘れないよう気を遣わなければならない。

●子宮内避妊具

子宮のなかにポリエチレン製の小さな器具を入れる方法。「リング」と呼ばれることもある。一度挿入すれば数年間にわたって避妊効果が得られるが、定期健診を受ける必要があり、出産経験のある女性が主に対象となる。授乳中の使用も可能（授乳中は月経がないため避妊しないカップルも多いが、授乳中でも妊娠する可能性は十分あるため注意！）。

●避妊手術

女性の場合は卵管を、男性の場合は精管（精子を尿道に送るための管）を糸で縛る、または切断すること。男女のどちらかがこれを施していれば、膣内射精をしても卵子と精子が出会うことはない。避妊法としては確実だが、一度手術をしてしまうと二度と妊娠できないので、熟考のうえ判断を。

●基礎体温法

女性が毎朝、基礎体温を測定して排卵日を予測し、その日はセックスすること自体を避けるという方法。極めて不確実なので、ほかの避妊法と併用することをおすすめする。妊娠したいときにこそ、有効な方法。

●殺精子剤

セックスをする前に膣内に精子を殺す薬を入れる。使用法は簡単だが、効果が発揮されるまでに少し時間がかかる（5～10分程度）ので、タイミングが難しい。また、有効時間内（20〜60分程度）に射精しなくてはならないというネックもある。

●ペッサリー

子宮の入口にゴム製の薄い膜状のキャップを自分の指で装着し、精子が子宮に入るのを防ぐ。セックスのたびに装着し、射精の後6〜8時間経過してから、必ず取り出さなくてはならない。ほかにも婦人科などで子宮口の大きさを測ってもらい、自分のサイズに合ったものを選ぶなど、手間が多い。

●アフターピル

受精卵が子宮内膜に着床するのを防ぐために服用する緊急避妊薬。セックスをした後72時間以内に飲まなければならないが、避妊率は高くないうえ、吐き気などの副作用も強い。コンドームが破れてしまったなどの緊急事態のための方法と覚えておこう。

ローションのすすめ　Column

　セックスは身体と身体でするものと思いこみ、アダルトグッズを使うことに抵抗のある人は少なくないようです。かつてアダルトショップといえば、路地裏にあり、いかにも怪しげで、後ろめたい雰囲気だったことが、影響しているのかもしれませんね。

　しかし、いまでは明るくてオープンなショップも増えていますし、カップルが仲良く買い物をしている光景も珍しいものではなくなっているようです。インターネットを利用すればさらに手軽にショッピングできます。

　アダルトグッズを使用することは決してやましいことではありません。ローターは振動の強さを上手に調整すればペースを変えずに淡々とした刺激を与えられるので、女性がオーガズムを体験し、身体に覚えこませる道具としてはぴったりです。最近は、かわいいデザインのものも多く出回っていますから、彼女が嫌がらないかぎり、積極的に取り入れてみるのもいいですよ。

　なかでも特におすすめしたいのが、ローションです。彼女がラブジュースをたっぷり分泌する体質であれば、それはとても幸せなことですが、感じているのに濡れにくいという女性も少なくありません。そんな彼女とベッドインするときにローションを使えば、「気持ちよくなる」ために時間を割いて根気よく愛撫するのではなく、最初から「気持ちいい」時間にできるでしょう。

　ローションは、ドラッグストアや薬局などでも購入できます。最近では、肌に触れるとあたたかな感触に変わるものや、肌にやさしい弱酸性タイプのものなども販売されています。

　ローションを使うのは、お互いの心身をいたわること。まさにふたりのセックスライフを充実させる潤滑剤なのです。

Chapter 4

実践篇1 まずは乳房の愛撫から

前戯は服を着たまま
スタートするのがルール

前戯のときにクリトリスや膣にしか触れないというのは、とても味気ないことだと思いませんか？　男性だってベッドインしていきなりペニスに触れられると、なんとなく気がそがれ、シラけてしまうといいます。自分が性欲を感じ、すでに身体の準備が整っているからといって、いきなり性器に手を伸ばすのは、いかにも無粋ですよね。彼女から愛情を疑われても仕方がないかもしれません。

特に女性の場合、性器そのものよりも全身へのタッチで性的興奮のスイッチが入る傾向があります。裏を返せば、それは彼女があなたの全身に触れたがっているということでもあります。まずはお互いの身体にまんべんなく触れ合うことから始めてください。

気がはやって、どうしてもすぐに乳房や性器に触れたくなってしまうのなら、まずはお互い服を脱がずに触れ合うことから始めましょう。服の上だからといって、ここでもいきなり性器に触れるのはＮＧです。最初は、服を着ている状態でも肌が見えている部分から愛撫します。耳たぶやうなじなど、感じる場所はたくさんありますよ。

続いて、ふたりとも服を脱いで下着だけになってください。そうすると、直接肌に触れられる範囲はもっと増えますね。あらわになった彼女の太ももの内側やおへその周りが、無防備な状態であなたの愛撫を待っています。背中も、二の腕も、わきの下も、愛情をもって触れられれば性感帯になるのです。

このように進めていくと、乳房や性器に触れるのはおのずと後回しになりますよね。ポイントは、**大きな快感を得られる場所ほど後に回す**こと。上手に焦らすほど、性器に触れたとき、そして挿入したときの快感は大きなものになります。彼女の身体は煮込み料理のようなもの、と考えてみるのはどうでしょう。とろ火でじっくり火にかけるほど、おいしく仕上がります。

この段階で〝性感帯〟にとらわれすぎる必要はありません。「性感帯ではないから」「感度がにぶいから」という理由で触れないのは、もったいないこと。髪の毛や爪など、神経がまったくないところだって、あなたに触れられれば彼女はうれしいものなのです。男性にしても、彼女を好きという気持ちがあれば、自然にいろんなところに触れたいと思うはず。そんな気持ちのおもむくままに愛撫していいのです。

指先でそっとなぞる、濡れた唇や舌を這わせる、歯を立てる、ときにはアダルトグッズを使う——愛撫の仕方はいくらでもあります。どんなふうにアプローチしていくかは自由ですが、前戯の時間を充実させるために忘れてはいけないルールがひとつあります。それは、**彼女の反応を見ること**です。

乳房なり性器なり、愛撫するときに彼女の身体にむしゃぶりついてしまったことはありませんか？　パーツばかり見ていては、彼女が感じているかいないかを把握できるはずがありません。

では、どこを見ればいいのでしょう。答えは、顔です。

愛情があふれるあまり彼女の身体に夢中になってしまうのも、とてもすてきなことではありますが、あまりスマートではありませんね。頭のなかにちょっとした余裕や、冷静な部分も残しておいてください。そして彼女の顔、表情を観察するのです。そこからは、たくさんの情報が得られます。たとえば、頬がほんのり紅潮していたり、切なげに眉間にしわを寄せていたり……女性ひとりひとり特有の、感じているサインが必ずあるからです。

まずはそうしたサインを見極められるようになり、彼女がどうやらあまり感じていないようだと判断したなら、愛撫の仕方を変えたり、どうしてほしいのか彼女に直接尋ねてみたり、対策を考えましょう。

こうして身体のいたるところに触れた結果、彼女が快感に酔いはじめたら、お待ちかね、下着を脱がせるタイミングです。乳房や性器など、彼女の敏感な部分への愛撫を始めましょう。

日本人女性の〝おっぱい〟事情

ふんわりとなだらかな曲線を描く〝乳房〟は女性らしさの象徴。顔をうずめたくなるような豊かな乳房も、スリムな身体に似合う控えめなサイズの乳房も、それぞれに魅力的で、思わずむしゃぶりついてしまう男性もいるようですが、ちょっと待って！　前述したとおり、乳房は女性にとってそれほど感じるパーツではないのです。

乳房は脂肪が9割、残りは乳腺《にゅうせん》というもので構成されています。乳腺とは、女性が妊娠した後に母乳を分泌するためのもので、ぷりっとして弾力がある乳房の人はこの密度が高く、マシュマロのようにふんわりとした触り心地の乳房は密度が低いといわれています。いずれにしろ、乳房に張りめぐらされた神経の数は、身体のほかの部分と比べると格段に少なく、それゆえ強く揉んでもワシづかみにしても、性感にはつながりにくいのです。

脂肪と乳腺の割合は、乳房の大きさが変わっても関係ありません。つまり乳房の大きさと感度にはなんの関連性もないのです。「おっぱいが大きいと感度がにぶい」という俗説がありますが、まったくもってバカバカしいことです。

男性のなかにはまれに、乳房が大きければ大きいほど好きだという人がいます。〝ボイン〟や〝巨乳〟などユニークな言葉が生まれるのも、大きな乳房に対する関心の高さを表していますよね。そんな人たちには朗報です。日本人女性のバストサイズは時代を追うごとに大きくなる傾向にあります。

20代女性のプロポーションの推移を見てみると、1948年には身長154cm、体重51・4kg、胸囲81・2cmだったのが、1970年には身長156・5cm、体重51・1kg、胸囲81・6cm、1989年には身長159・3cm、体重50・8kg、胸囲82・3cm（アンダーバストは71・6cm）と変化し、1998年には身長158・2cm、体重50・4kg、胸囲82・93cmとなっています。

戦後、日本人女性の体形は、背が高くスラッとし、シルエットはスリムになる一方で、

都市別、アジア人女性のボディサイズの平均

	身長(cm)	体重(kg)	バスト(cm)	ウエスト(cm)	ヒップ(cm)
東京	158.9	49.3	82.7	60.4	86.6
北京	161.5	50.1	79.4	64.2	85.1
ソウル	160.6	50.2	82.3	65.4	84.2
台北	159.8	49.9	84.2	64.3	90.6
香港	159.5	52.2	84.6	65.2	88.1
バンコク	157.8	48.8	82.8	64.4	88.7
シンガポール	159.8	52.9	83.1	66.5	85.9
ジャカルタ	156.4	46.4	80.1	65.3	85.8

乳房だけが大きくなっていることがわかります。さらに、乳房全体が前に突き出るような体形に変化しているとの報告もあります。

こうした変化は、日本人女性独特のものであるようです。ほかのアジア諸国の女性と比較したところ、上の表のような結果が出ました。日本人女性はウエストがひときわ細く、体重も他国と比べると軽いのに対して、バストサイズは最大です。

〝おっぱい〟は乳房ではなく乳首を愛撫

そもそも神経が少ない乳房なのに、愛撫されると悦ぶ女性が多いのはなぜでしょう？

理由はふたつあります。

ひとつめは、男性からの愛情を実感できるから。心をこめて自分の身体を愛撫してくれていることがわかれば、心が満たされるものです。女性のなかには身体よりも気持ちの充足を重視する人もいます。そうした女性たちは、感じないからといって乳房に触れない男性のことを、愛情が少ないと感じる傾向にあるので、積極的に愛撫してあげてください。

もうひとつの理由は、**乳首への愛撫を予感させる**からです。

神経が少なく感じにくい乳房とは対照的に、乳首は性的にとても敏感です。男性でも、彼女に乳首を舐められたり指でつままれたりすると気持ちよくなる人は多くいるので、その快感がどんなものかは比較的わかりやすいのではないでしょうか。

さらに、これは女性だけに限ったことですが、膣のオーガズムが全身に広がる〝ブレンド・オーガズム〟（38ページ参照）が起きると、乳首が反応し、触れられていないにもかかわらず快感に震えることがあります。神経の少ない乳房よりも、この敏感な突起に触ってほしいというのが、女性の本音なのです。

やんわりと乳房を揉みながら乳首の先端をかすめたり、乳房の外側から徐々に乳首に近づくように愛撫したり……彼女の期待感をあおってみましょう。やみくもに乳房に触れられるだけだと彼女は退屈しかねませんが、上手に焦らされると、愛撫は格段に楽しく、官能的なものになります。

乳首に直接触れるのは、メインディッシュのようなもの。乳房を丹念に愛撫するというおいしい前菜を前にすると、そのぶんメインディッシュへの期待も高まります。次に紹介するテクニック集を参考に、彼女に〝オアズケ〟させるような気分で愛撫してみてください。彼女のほうから「乳首に触って」とねだられるようになったら、成功です。

乳房・乳首の愛撫 実践篇

乳首は勃起した状態のほうが、感度が高まります。だから先端にいきなり触れるのはNG!　まずは焦らすように乳房を、そして乳輪を愛撫し、乳首がふくらむのを待ちましょう。右と左とでは感度が違う場合もあります。触りすぎると乳首が大きくなって左右のバランスが崩れるというのは迷信ですから、彼女の悦ぶ側を存分にかわいがってあげてください。

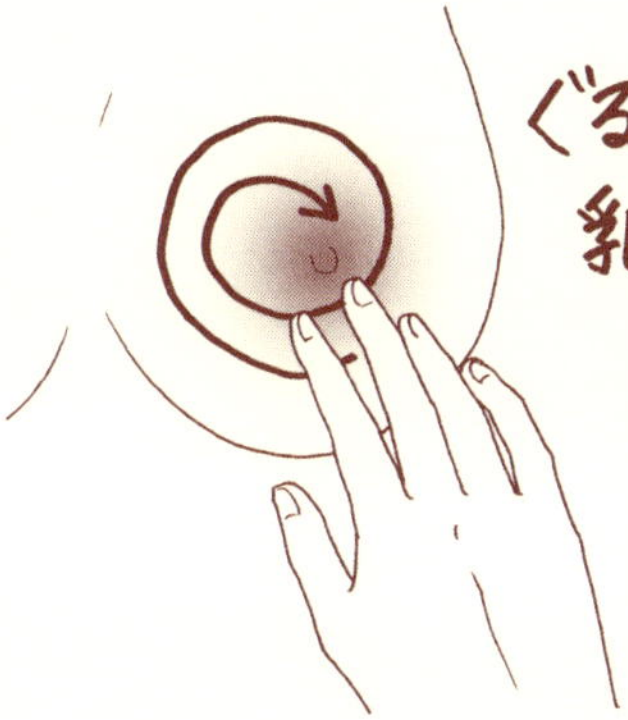
ぐるぐる…と
乳首に近づく

テクニック①＝乳首を勃たせるには、乳輪の周りをなぞること。乳房の外側から螺旋《らせん》を描くようにして乳首に近づく。乳輪も同様にぐるぐると愛撫すると、彼女の期待感はますますアップ!

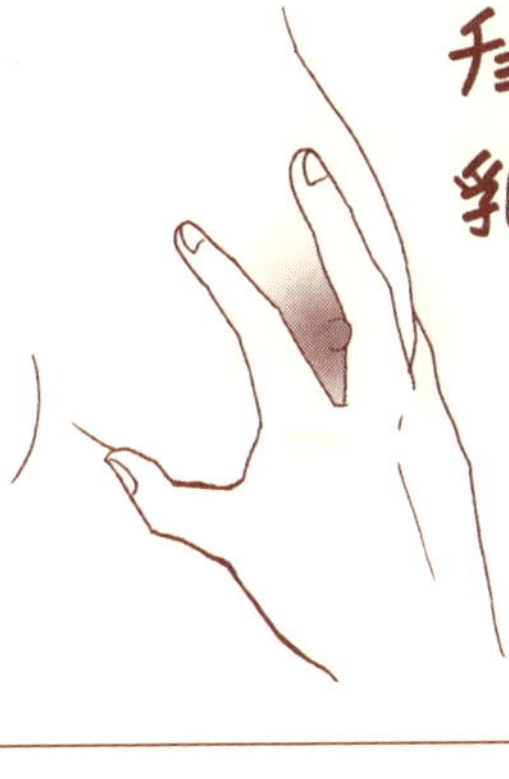
チョキのようにして
乳首をはさむ

テクニック②＝乳房を下から包み込むようにして揉みながら、たまに乳首をかすめるようにして触れる。人差し指と中指ではさむと、力が入りすぎず、ちょうどいい強さで愛撫できる。ワシづかみは痛がる女性が多いので絶対にNG

側面もトップもどちらも刺激する

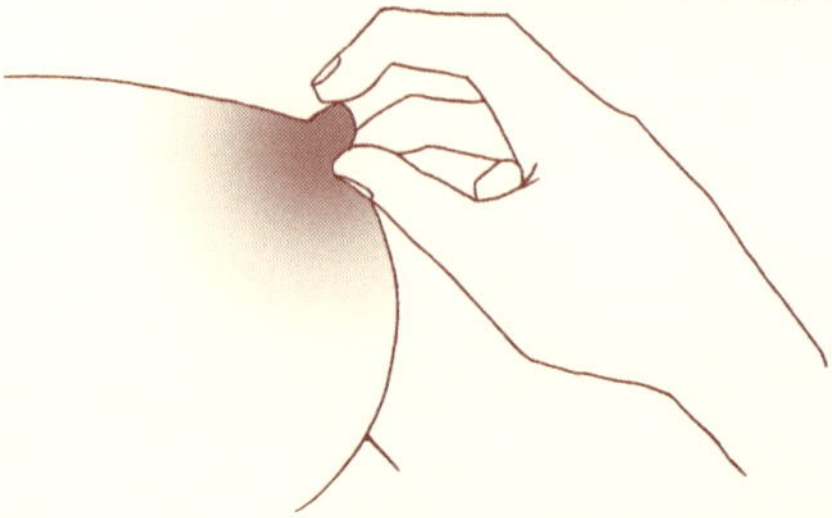

テクニック③＝乳首が完全に勃起したら、中指と親指で側面をつまむ。この2本の指で乳首の側面を刺激しつつ、人差し指でトップを愛撫する。すべての面にバランスよく触れると効果的

息がもれないようにして吸う

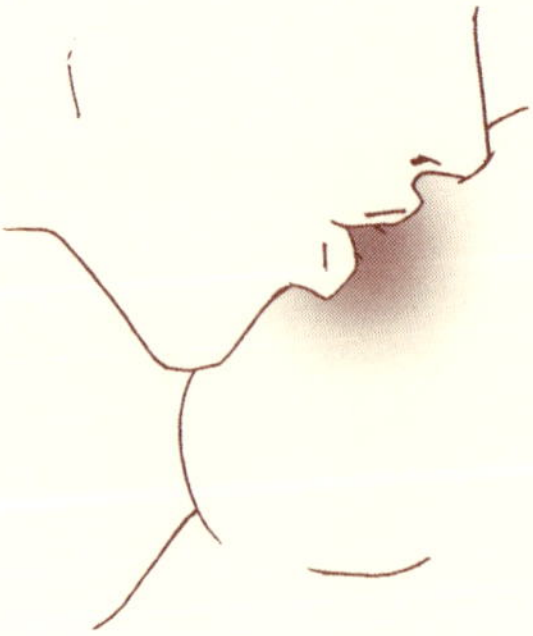

テクニック④＝口で愛撫するときは、唇をとがらせ乳首を包むように当て、息が漏れないようにしっかり吸う。唇を密着させたまま、舌先で乳首の先端をつつくようにしてもよい

ホットな刺激も
クールな刺激も
どちらも◎

テクニック⑤＝暑いときには口に氷を、寒いときにはあたたかい飲み物をふくんだまま、乳首を舐めたり吸う。温度差が心地よく、新鮮な感覚が味わえる

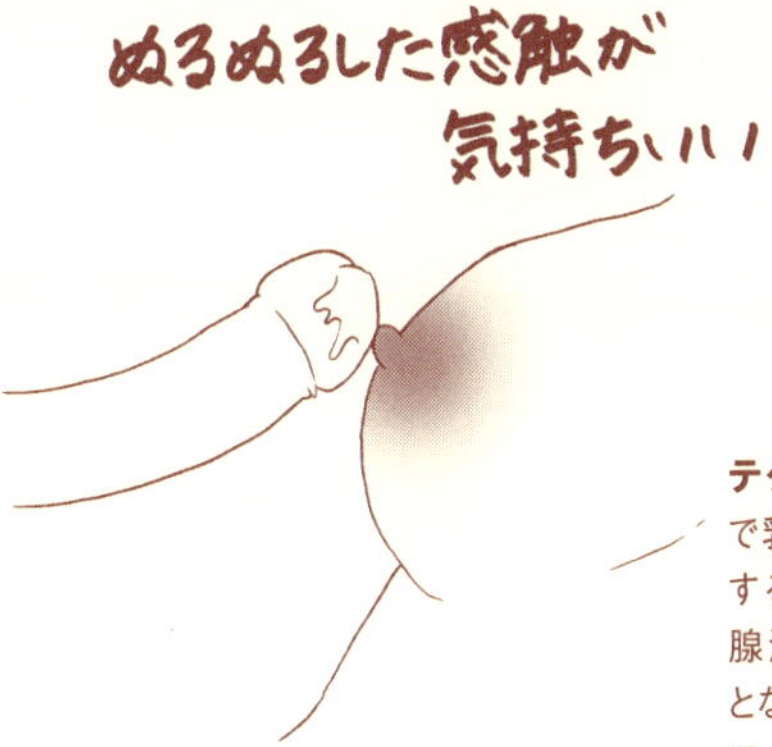
ぬるぬるした感触が
気持ちいい！

テクニック⑥＝ペニスの先で乳首を刺激されると興奮する女性もいる。カウパー腺液がちょうどよい潤滑液となるが、量が少ないときはローションを使ってもよい

Chapter 5

実践篇2 クリトリスはソフトタッチがお好き

小さくてかわいいクリトリスで女性が気持ちよくなる仕組み

真珠や植物の芽、または豆粒にたとえられるとおり、クリトリスは小さくてかわいらしい器官です。その形状だけでなく、指や舌でそっと触れただけで敏感に反応し、ぷくっとふくらむ様子もいたいけで、愛着を覚える男性も多いのではないでしょうか。

ここは男性でいえばペニスに当たる器官ですから、長さや太さといったサイズには、個人差があります。長さや太さは人によってまったく異なるため、彼女の小さな分身のように思っている男性もいるかもしれませんね。

日本人女性のクリトリスの長さは、左図を見てもわかるように、3～4㎝、直径は5～7㎜が平均といわれています。一方でアメリカ人女性は、長さが平均1・6㎝、直径は0・3～0・4㎝という報告がありますが、計測時の条件や方法に差があるようで、あまり比較の対象にはなりません。

とはいえ、私たちが目で確認できるのは、クリトリスのほんの一部。氷山の一角といってもいいかもしれません。クリトリスの全体像というのは次ページのイラストのように実はとても大きな器官なのです。

真珠のようにちょこんと見えている部分を、〝亀頭〟といいます。男性のペニスに倣っての呼び名ですが、性的に敏感で感じやすいという共通点もあります。ふだんは包皮で

日本人女性のクリトリスの長さ

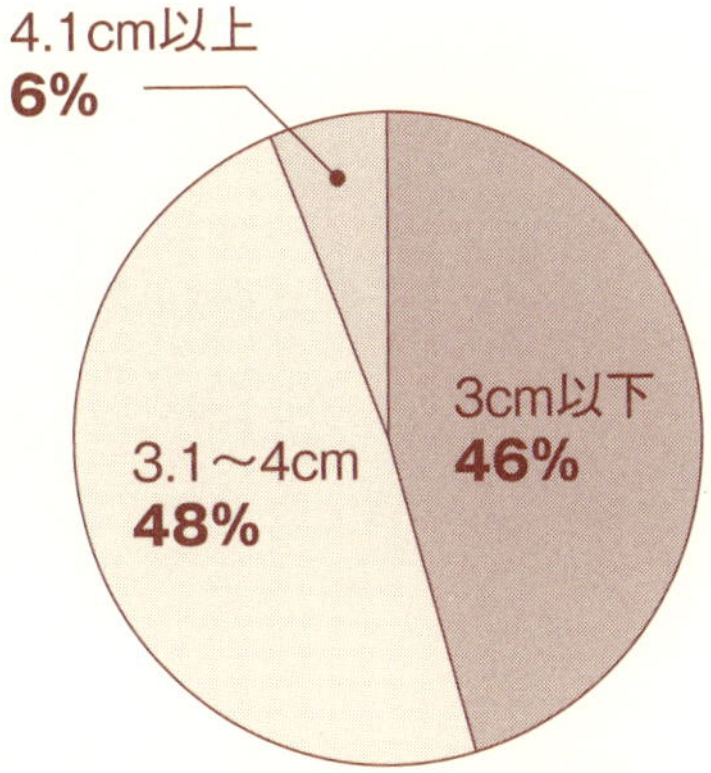
4.1cm以上
6%
3cm以下
46%
3.1～4cm
48%

日本人女性のクリトリスの直径

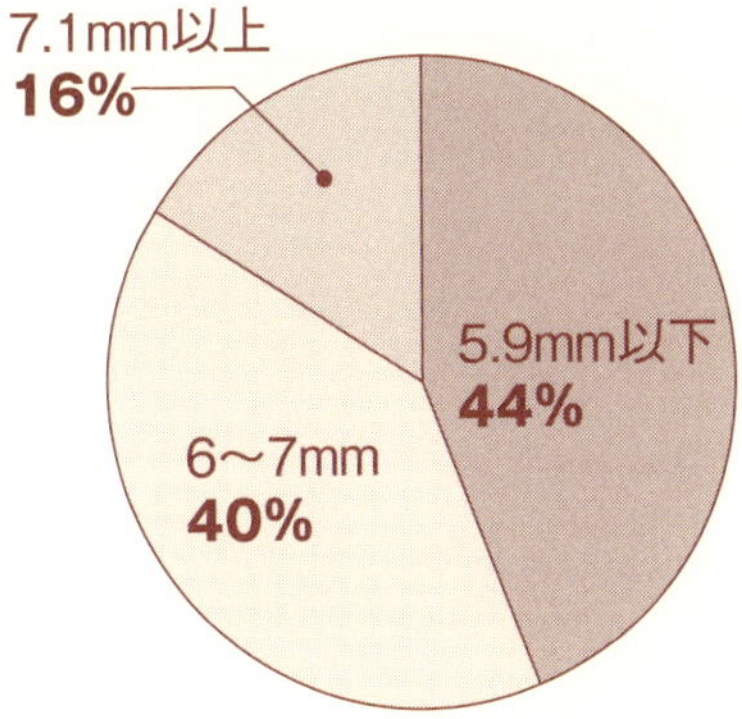
7.1mm以上
16%
5.9mm以下
44%
6～7mm
40%

守られていますが、感じはじめると姿を現します。
この亀頭から、2本の脚のような筋肉が伸びています。これは驚くほど長く、小陰唇の裏を這って膣を包みこんでいるのです。

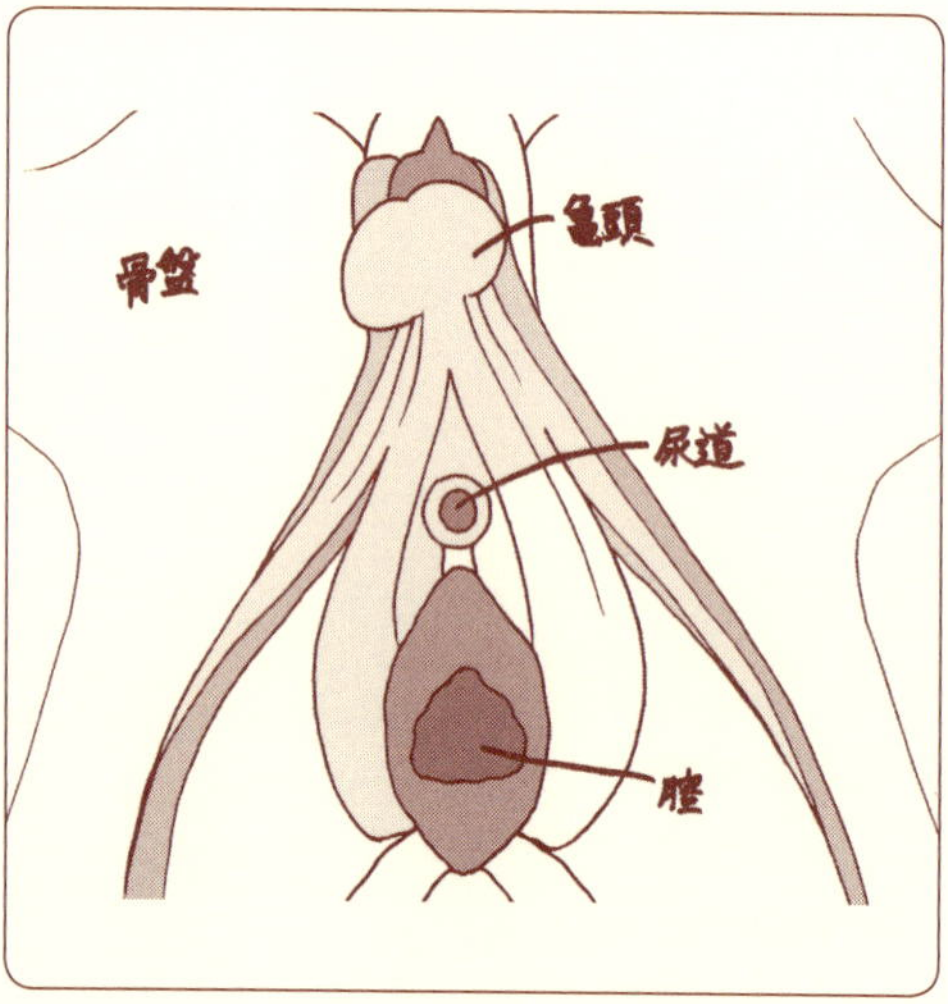

あなたの指や舌でクリトリスを刺激すると、亀頭は快感でふくらみます。ペニス同様、この現象を〝勃起〟といいますが、亀頭の勃起と連動して、この2本の脚も勃起し、さらに小陰唇までふっくらと充血してきます。これによって膣が圧迫され、刺激を受けるのです。

クリトリスが気持ちよくなると膣まで感じるのは、こうした仕組みによるものです。ペニスを挿入した状態でこの現象が起きると、ちょうどペニスが膣の奥でぎゅっとつかまれたような状態になるため、あなたも彼女と一緒に気持ちよくなれますよ。

また、男性にはわかりにくい感覚かもしれませんが、女性はセックスの後にトイレに行ったとき、おしっこが出にくくて困ったという思いをすることがあります。この原因は、実はクリトリスにあるのです。

おしっこが出てくる尿道は、クリトリスと膣のちょうど中間に位置しています。クリトリスが感じているときには、目に見えている亀頭も、奥深く隠れている2本の脚も大きくふくらみ、これによって尿道が圧迫されることになります。尿意を感じているのにおしっこが出ないのは困りますが、考え方を変えるとこの現象は、彼女がクリトリスでたくさん感じたという証拠のようなものかもしれませんね。

●敏感な場所はふたりでリサーチ！

クリトリスが性的にきわめて敏感であることは、よく知られているとおり。ここだけでオーガズムを得られる女性も多いため、まずは前戯のときにたっぷりと愛してあげたいものです。

全身へのタッチと乳房への愛撫に続いて、あなたがクリトリスに触れると、性器からの強い刺激に彼女の身体はますます興奮し、気持ちも高まります。それにともなって大陰唇や小陰唇といった性器全体が充血し、ぽてっと肉厚になります。膣口からにじみ出るラブジュースの量も増えてくるでしょう。

これは感じているときのペニスの反応と、よく似ていますね。実際、クリトリスの反応は、男性のペニスが性的反応をするときと同じ神経系、反射経路をたどって起こるといわれています。ただ、ペニスと違ってふだんは包皮のなかで守られているので、クリトリスは男性が思っているよりも、ずっとデリケート。愛撫のときは、できるかぎりソフトに触れるのがルールです。

守ってほしいルールはもうひとつあります。**彼女自身に感じるポイントを教えてもらうこと**です。これはクリトリスに限ったことではありませんが、彼女にオーガズムの悦びを味わわせたいと思うなら、彼女本人に感じるポイントを教えてもらうのが最も早く、確実な方法です。

ただし、経験が少ない女性やシャイな女性にとって、どのように愛撫してほしいのかをことばにしてリクエストするのは、とても難しいこと。そんな場合は、彼女自身の指でクリトリスに触れてもらい、あなたはその様子を観察するといいでしょう。

彼女にマスターベーションの習慣がなくても心配する必要はありません。ふたりで感じるポイントを探せばいいのです。上のイラストのように、あなたが彼女を後ろから抱きかかえるようにして、彼女に太ももを少しだけ開いてもらいます。あなたに包まれているような体勢は、彼女に安心感を与えます。それでいて顔を合わせることはないので、彼女の羞恥心も和らぎます。

始める前は彼女の肩ごしにのぞきこんでも、大陰唇が見えるくらいで、小陰唇もクリトリスもまだ割れ目の奥に隠れた

ままです。まずは彼女自身の指で感じるところを探ってもらい、反応があった場所をあなたが触れておさらいします。

続けていくうちに、最初は閉じていた太ももから力が抜け、自然に脚が開いていきます。これは、彼女が本格的に感じはじめたというサインです。さらに骨盤を突きあげるような姿勢になり、次第に性器全体を上に向けはじめます。こうなると、あなたからも勃起したクリトリスや、充血した陰唇が見えやすくなります。あとは彼女が自分の指でオーガズムまで達するのを待ってもいいですし、あなたが後を引き受け、発見したばかりの彼女の敏感なポイントを愛撫しても、もちろんＯＫです。

オーガズムは学習によって得られるものだと前述しましたが、これはクリトリスでのオーガズムにも当てはまります。経験の少ない女性がこのような練習を一度や二度したからといって、なかなか身体で覚えこむまでにはいきません。さらに、女性器はもともと繊細な器官で、そのときの環境や体調、気持ち次第で、感じる場所や感じ方がわずかに異なります。１カ月でも３カ月でも時間をかけて、焦らずゆっくり、快感のポイントをふたりで探してください。

●彼女が嫌がっているサインを見逃さないで！

とてもデリケートなクリトリスは、触れるときの力の加減を間違ったり、歯を立てたりすれば、痛みを感じます。気持ちよくなっていることも、痛いと思っていることも、率直に伝えあうのが理想ですが、彼女がシャイだったり、あなたに遠慮して、どちらも口に出しにくい様子なら、あなたがその反応からサインをキャッチして、感じているか、感じていないかを判断してあげましょう。

彼女があなたの手に性器全体を押しつけてきたら、いよいよ感じて、気持ちよくなっているという証拠。逆に、あなたが触れているところから逃げようとするように腰を引く場合は、刺激が強すぎて痛がっているということです。指でクリトリスに触れるときは、空いているほうの腕で彼女の身体を軽く抱きしめましょう。そうすれば彼女が快感に身をよじらせるのも、痛くて腰を引くのもよくわかります。

クリトリスは感じると充血し、勃起しますが、なかにはそれほど大きくふくらまない女性もいます。勃起の度合いは、快感のバロメーターにはならないことを覚えておいてください。

クリトリスの愛撫 実践篇〈フィンガーテク〉

クリトリスを指で刺激するメリットは、そっと撫でるように刺激したり、指でつまんで揉むようにしたりといったように、力の強弱をつけやすいこと。そして彼女の顔を見て表情などを確認しながら、愛撫できることです。ただ、指とクリトリスがともに乾いた状態では、摩擦が強すぎて彼女は痛がります。唾液やラブジュースで湿らせるか、潤滑用のローションを使いましょう。

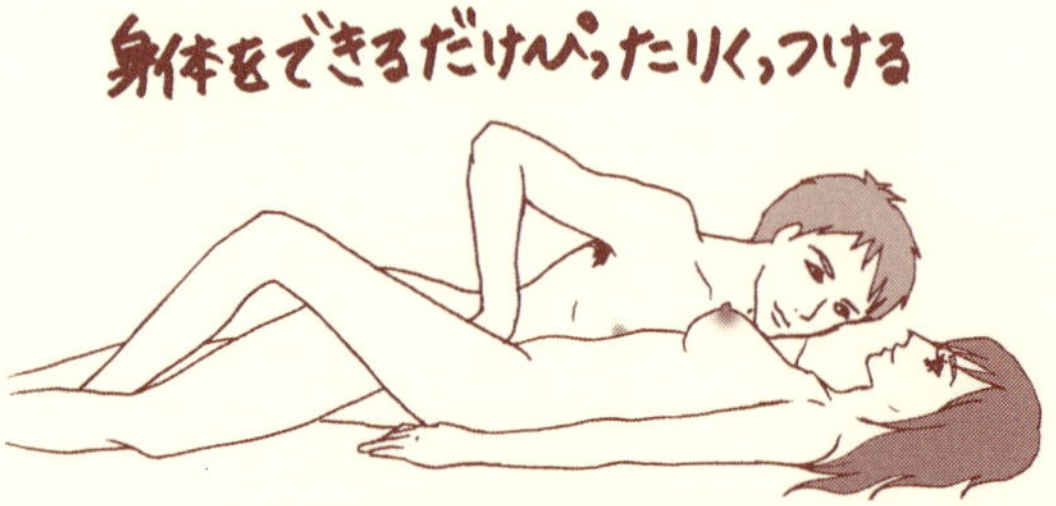
身体をできるだけぴったりくっつける

ポジション①＝女性は全身のスキンシップによって性感が高まりやすいため、身体を密着させて愛撫する。彼女の恥骨にやさしく手首をのせれば、愛撫が長く続いても手がだるくならない

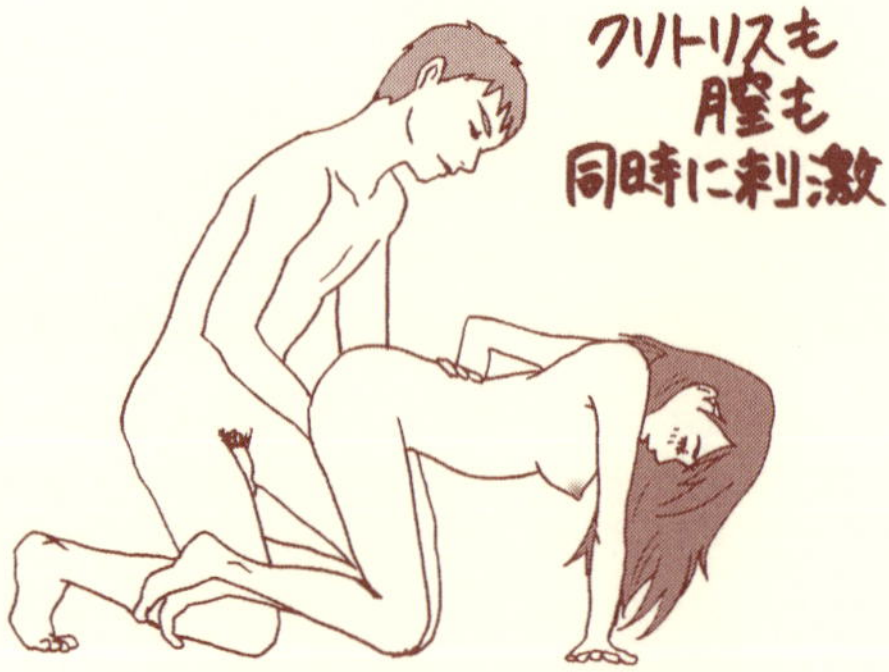
クリトリスも
膣も
同時に刺激

ポジション②＝マンネリを感じたら、バックスタイルに挑戦! ①とは違った角度になるので、感じ方が変わる。クリトリスを刺激しながら親指を膣に入れるという複合テクニックも可能に!

テクニック①＝最初からクリトリスの包皮を剥くのは、痛がる女性が多いのでNG。まずは下着や包皮のうえから前後にさするようにして、ゆっくりと刺激する。外陰部全体を大きくマッサージしてもよい

最初から触るのはNG

小陰唇も性的に敏感な器官

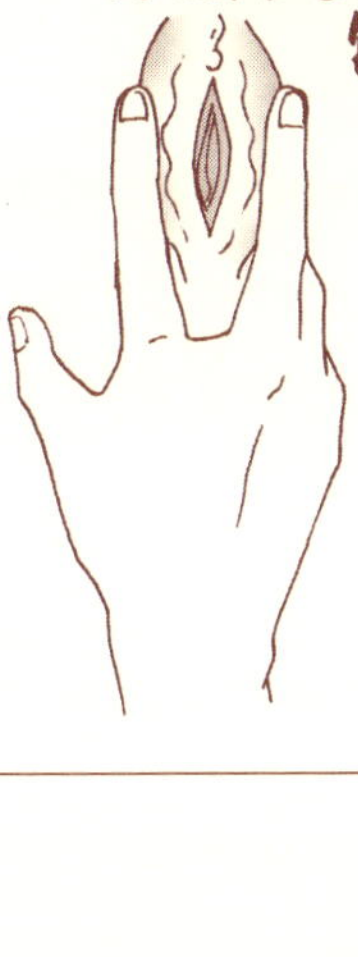

テクニック②＝クリトリスに直接触れる前に、小陰唇をさすったり指で軽く揉むのも、効果大。両者は神経が直接つながっているので、小陰唇に触れると、ほどよい刺激がクリトリスに伝わる

テクニック③＝彼女が感じはじめたら、指で包皮を押さえ頭のほうへ軽く引っ張って、クリトリスの亀頭をむき出しの状態にする。そのうえで、下着越しに触っていたとき以上にソフトなタッチで触れる

直接触れる時は
さらに繊細タッチで！

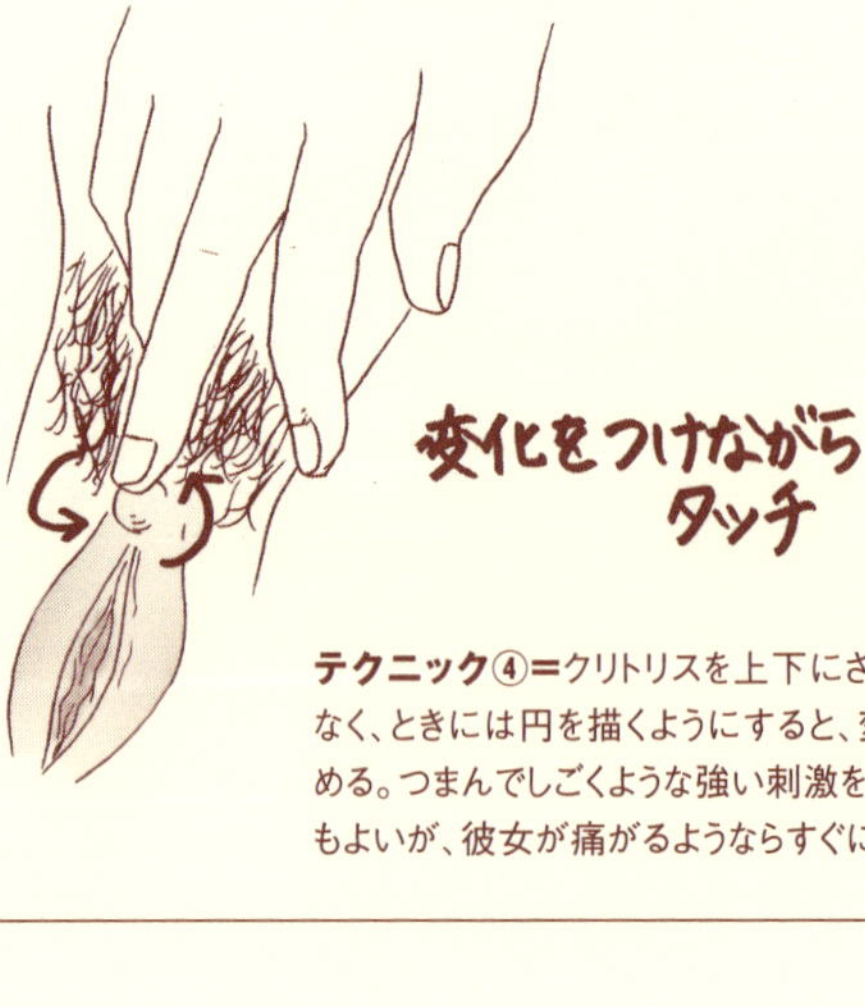
変化をつけながら
タッチ

テクニック④＝クリトリスを上下にさするだけでなく、ときには円を描くようにすると、変化が楽しめる。つまんでしごくような強い刺激を織り交ぜてもよいが、彼女が痛がるようならすぐにやめる

テクニック⑤＝膣からラブジュースがにじみ出てきたら、浅く指を差し入れてすくい取る。これを潤滑液としてクリトリスになすりつければ、摩擦が滑らかになるため、指の動きを多少速くしてもよい

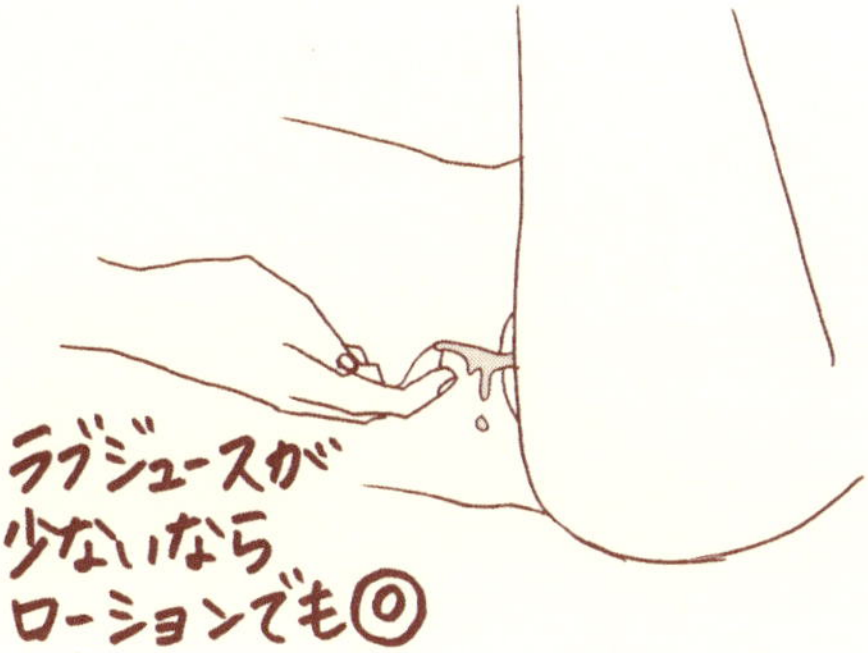
ラブジュースが
少ないなら
ローションでも◎

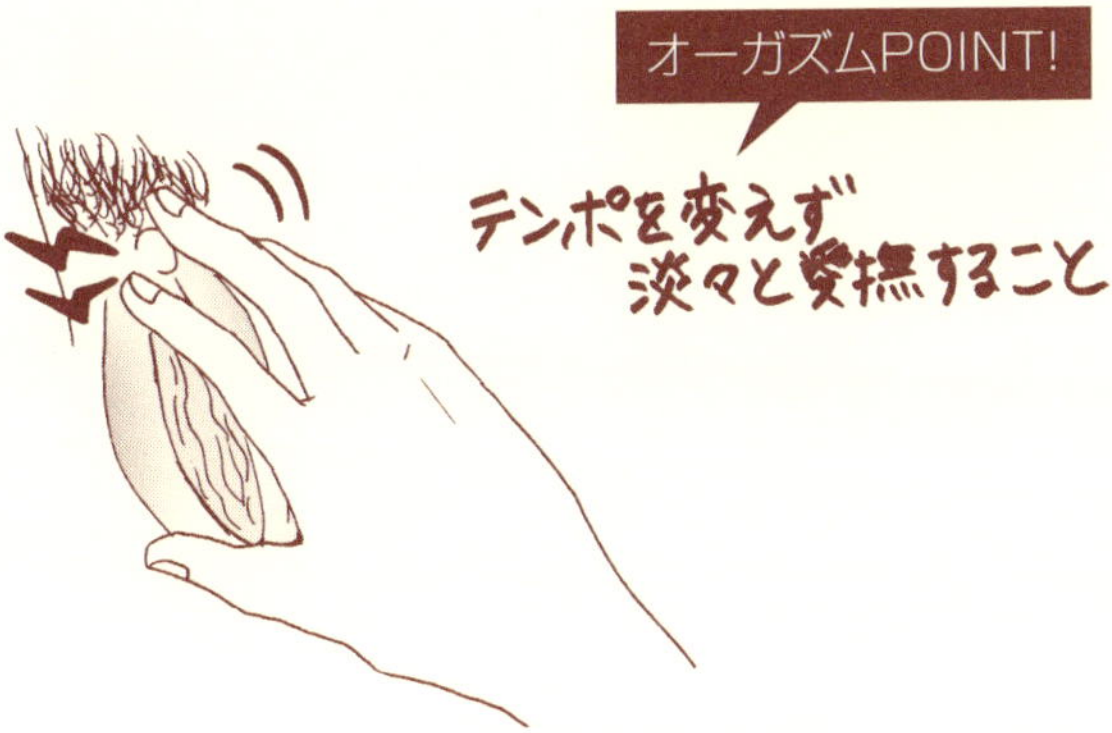
オーガズムPOINT!
テンポを変えず
淡々と愛撫すること

クリトリスがヒクヒクと脈打つようになったら、オーガズムが近い。ここで指の動きをより激しくするのは厳禁！　そのヒクヒクとした動きと同じテンポで愛撫すると、確実にオーガズムに導ける

クリトリスの愛撫 実践篇〈オーラルテク〉

クリトリスは乾いた状態で触れられると、すぐに痛みを感じるデリケートな器官。それゆえ常に濡れた感触をもたらす舌での愛撫は、女性にも好評です。また、舌は柔軟に形を変えられるのもポイント。クリトリス、小陰唇、大陰唇など刺激したいパーツによって、幅広の形にしたり、舌をとがらせたりして使い分けると、より的確な刺激になり、彼女はますます悦ぶでしょう。

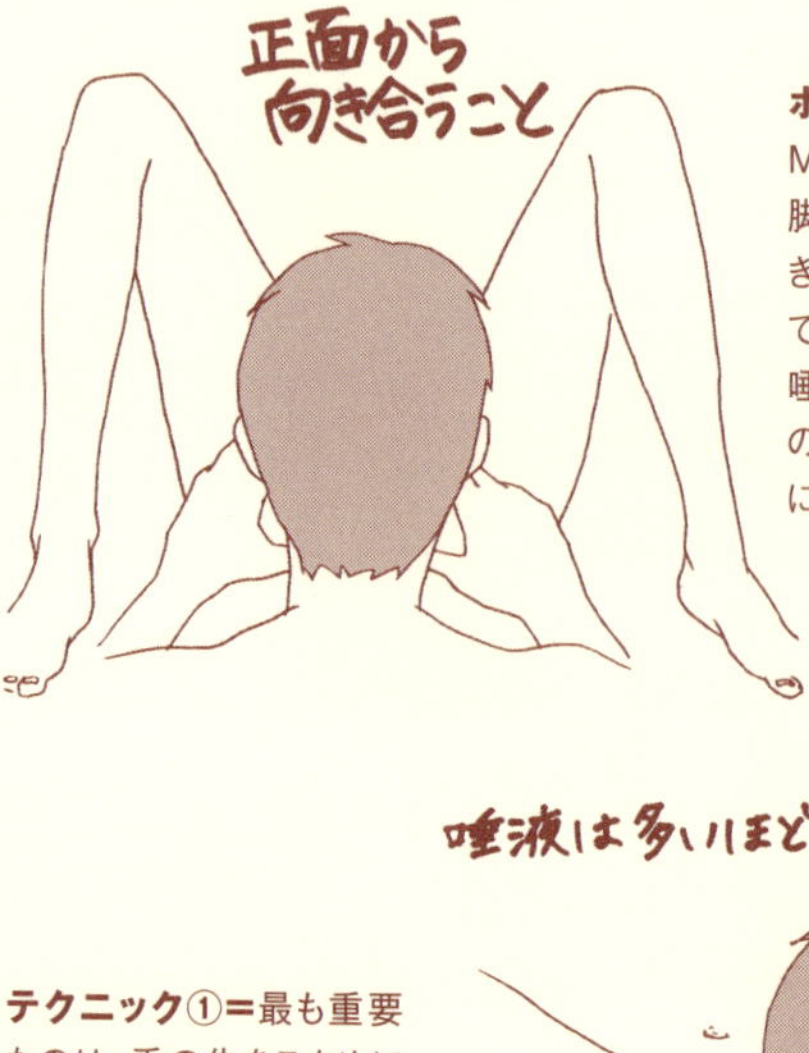

ポジション＝女性は脚をM字に開く。男性はその脚と脚のあいだに顔を置き、小陰唇を両手で開いて、クリトリスと向き合う。唾液が垂れることもあるので、彼女のおしりの下にタオルなどを敷くとよい

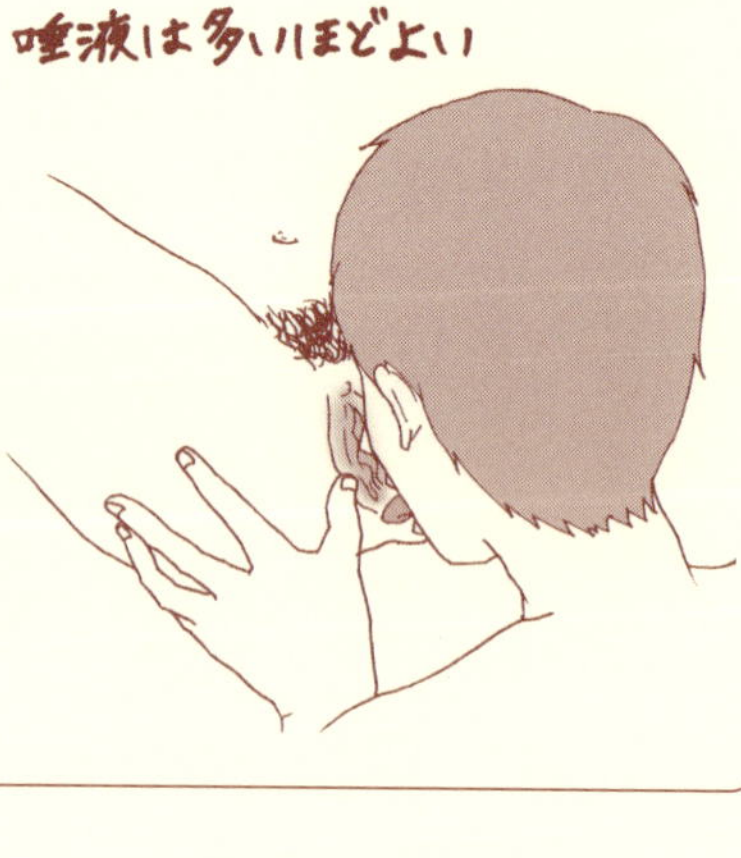

テクニック①＝最も重要なのは、舌の先をこまめに唾液で湿らせること!　口内に唾液がたまっても飲みこまない。この唾液が愛撫の最中に少しずつ舌をつたい、彼女の性器を潤すようになる

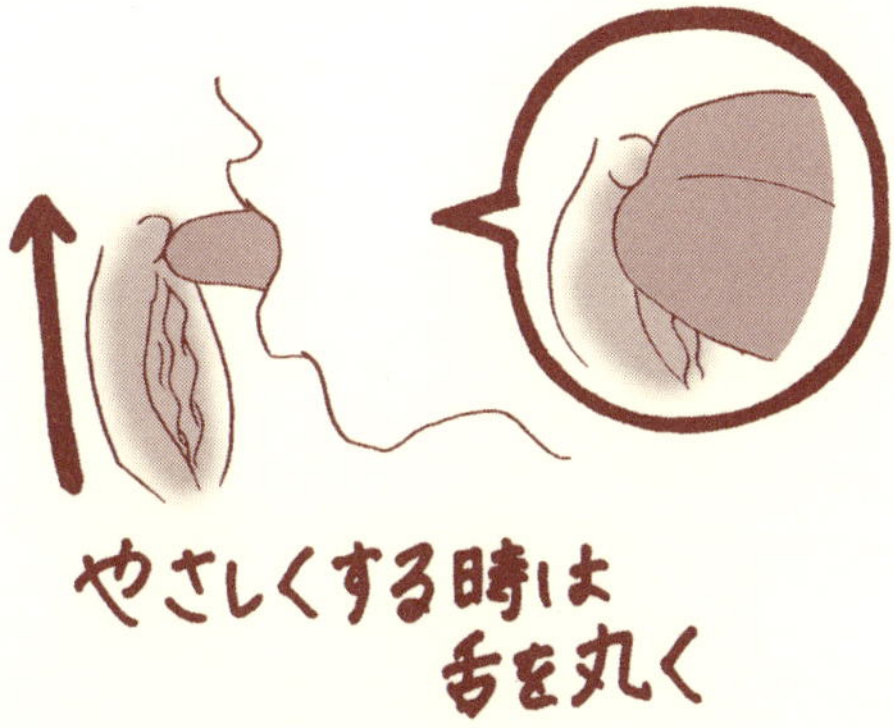
やさしくする時は
舌を丸く

テクニック②＝彼女の性器があまり潤っていないときや、クリトリスを下から上に舐めあげるときは、舌の先をとがらせずに、丸く、やわらかくした状態で、やさしく愛撫する

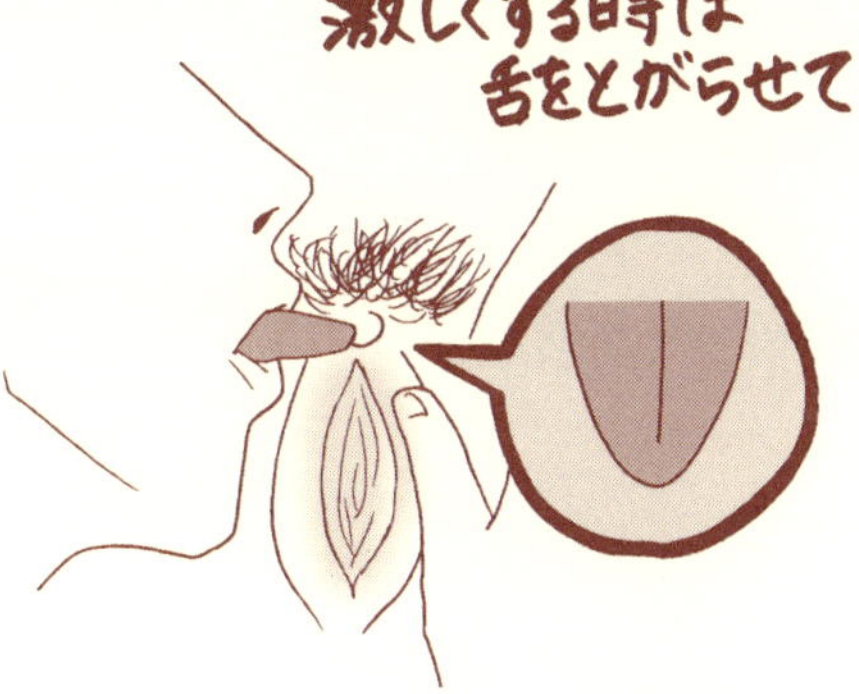
激しくする時は
舌をとがらせて

テクニック③＝小陰唇や包皮を愛撫するときや、彼女が強い刺激を求めるときには、舌に力を入れてとがらせる。正面からだけでなく側面から舐めあげるなどして、変化をつける

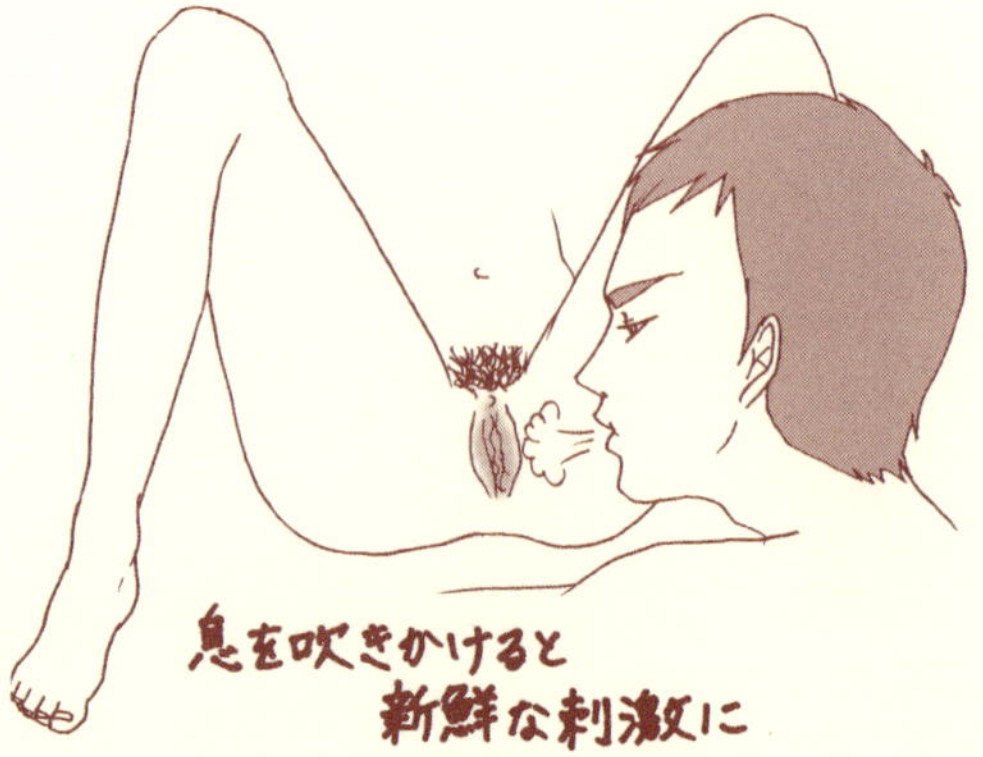
息を吹きかけると
新鮮な刺激に

テクニック④＝クリトリスを吸うときは、乳首を口で愛撫するときと同様(88ページのテクニック④参照)、唇全体で包むようにして、息が漏れないようにする。熱い息を吹きかけてもよい

テクニック⑤＝バックの姿勢から、幅広の状態にした舌で、会陰や大陰唇を豪快に舐めるのもよい。小陰唇と大陰唇との境目の隙間をなぞるように舌をはわせると感じる女性もいる

バックスタイルで
大胆になめる！

女性によるマスターベーションの実情

「マスターベーションしたことがありますか？」

とある調査でこう問いかけたところ、男性は「はい」と答えた人が大多数を占めているのに対して、女性は経験者が最も多い30代でも、全体の約半数程度でした。

各年代を合わせても半数近くの女性は、マスターベーションをしたことがないと答えています。特に経験者が少ないのは、10代です。男性の大多数が初体験以前にマスターベーションを経験するのに対して、女性はセックスで性的快感を知ってから初めてマスターベーションを覚える傾向にあることが、この数字からもよくわかります。

また、マスターベーションを行う頻度を、20～40代の男女別に調査したところ、「週1回」～「ほぼ毎日」と答えた人が男性では全体の3分の2を占めたのに対し、女性では3分の1程度でした。女性で最も多かった回答が「年数回程度」であることからも、日常的にマスターベーションを行う習慣がある女性はとても少ないという実情が浮かび上がってきます。

これまでにマスターベーションをしたことがありますか?

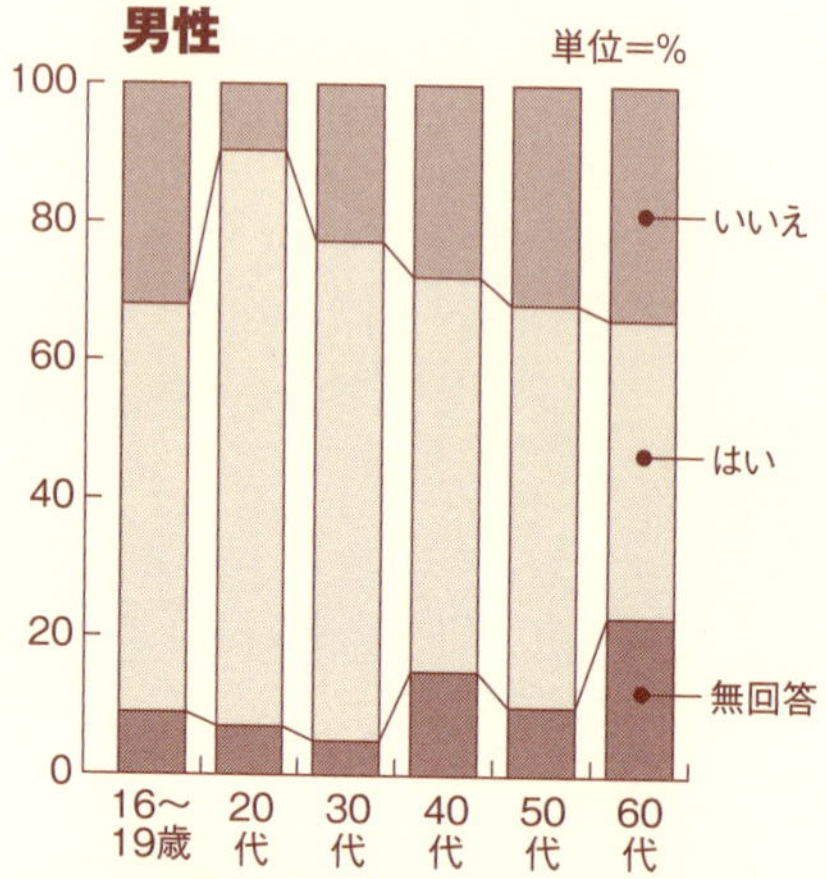
男性
単位=%
100
80
60
40
20
0
いいえ
はい
無回答
16〜19歳
20代
30代
40代
50代
60代

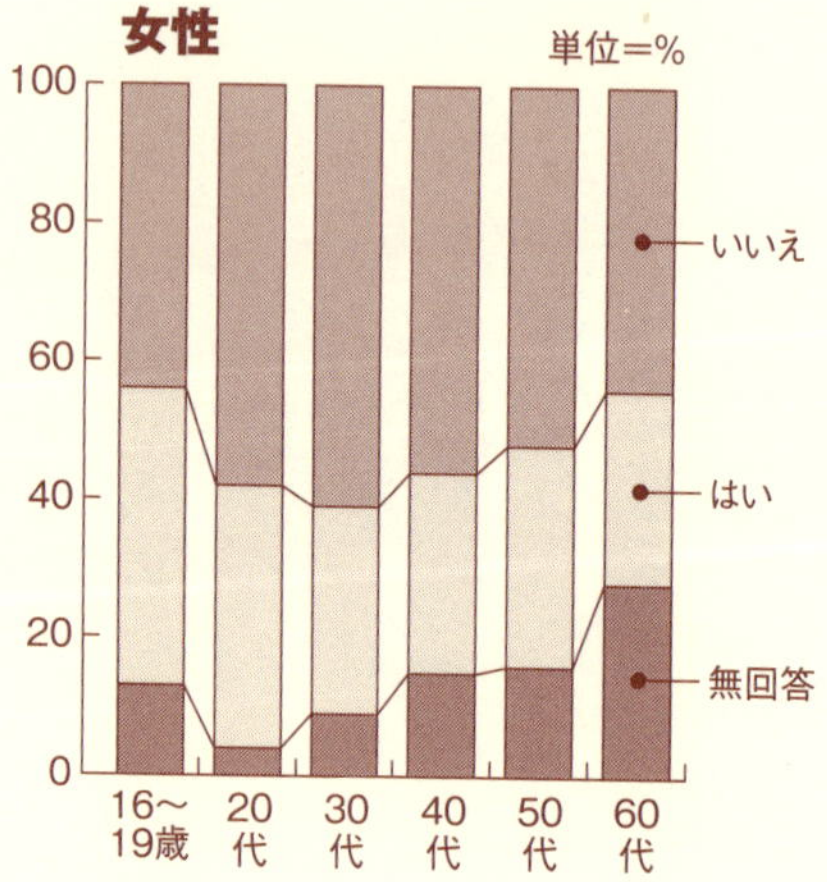
女性
単位=%
100
80
60
40
20
0
いいえ
はい
無回答
16〜19歳
20代
30代
40代
50代
60代

過去1年間、どのくらいの頻度でマスターベーションをしましたか？

20〜40代男性

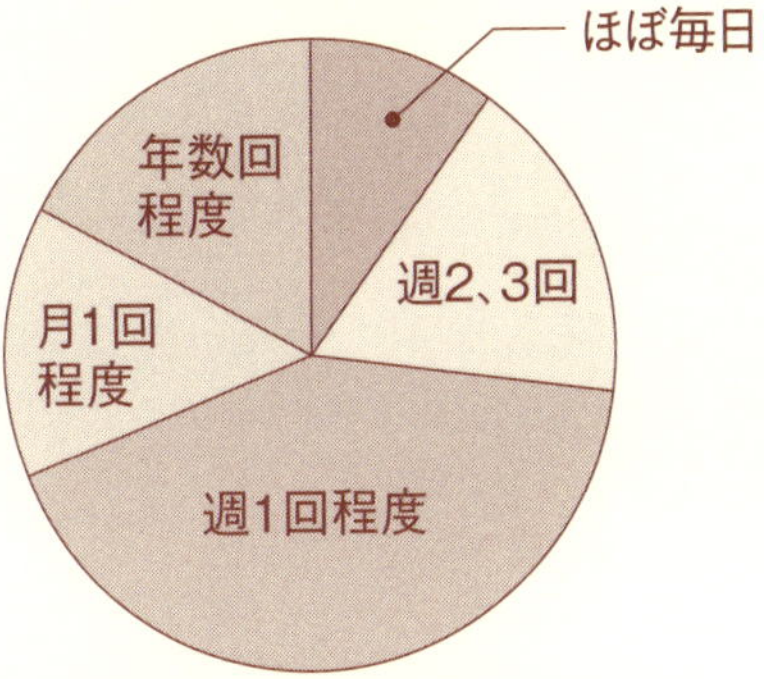
ほぼ毎日
週2、3回
週1回程度
月1回程度
年数回程度

20〜40代女性

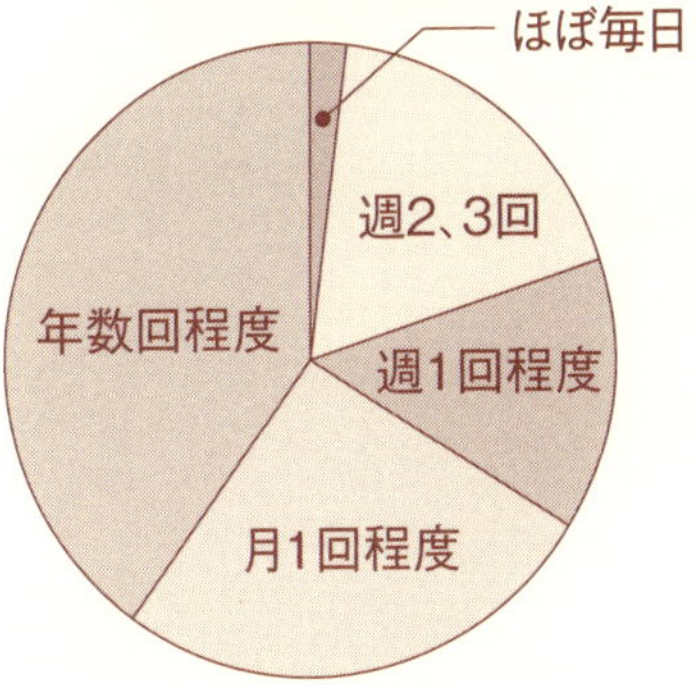
ほぼ毎日
週2、3回
週1回程度
月1回程度
年数回程度

このような結果の背景には、女性が性欲を持つこと、それを解消するためにマスターベーションを行うこと自体を〝いけないこと〟と感じ、後ろめたく思う風潮があります。21世紀に入って何年も経っているというのに、いまだこうした考えが根強いのはとても残念なことです。

産婦人科医としては「女性もどんどんマスターベーションしてください！」と声を大

にしていいたい気持ちです。自分で自分自身を気持ちよくすることにメリットはたくさんありますが、デメリットはないのです。

最大のメリットは、自分が感じる場所を把握できるということ。羞恥心を感じることも、彼氏にリクエストするという手間をかけることもなく、女性がただ自分の快感だけに没頭できる機会は、マスターベーションをおいてほかにありません。

さらに、女性は学習を繰り返さなければオーガズムが身につかないため、自分の好きな方法で絶頂感を身体に覚えこませれば、恋人とのセックスでもオーガズムに達しやすくなります。

マスターベーションをする理由について調査した結果を左ページの図で見てみましょう。

「性的な快楽のため、性欲を鎮めるため」にマスターベーションをすると答えた女性は、男性同様、多数にのぼります。それに次いで女性側の回答で目立ったものは、「リラックスするため、眠れるように」というものでした。

オーガズムには、入眠作用があります。深く安らかな眠りをもたらしてくれるのです。

また、オーガズム期の興奮が鎮まった後の消退期には幸福感で心身が満たされ、リラックスします。つまり、「リラックスや安眠を得るためマスターベーションをする」と回答した女性たちは、オーガズムをともなうマスターベーションをしていると見て間違い

あなたがマスターベーションをしたのはなぜですか？

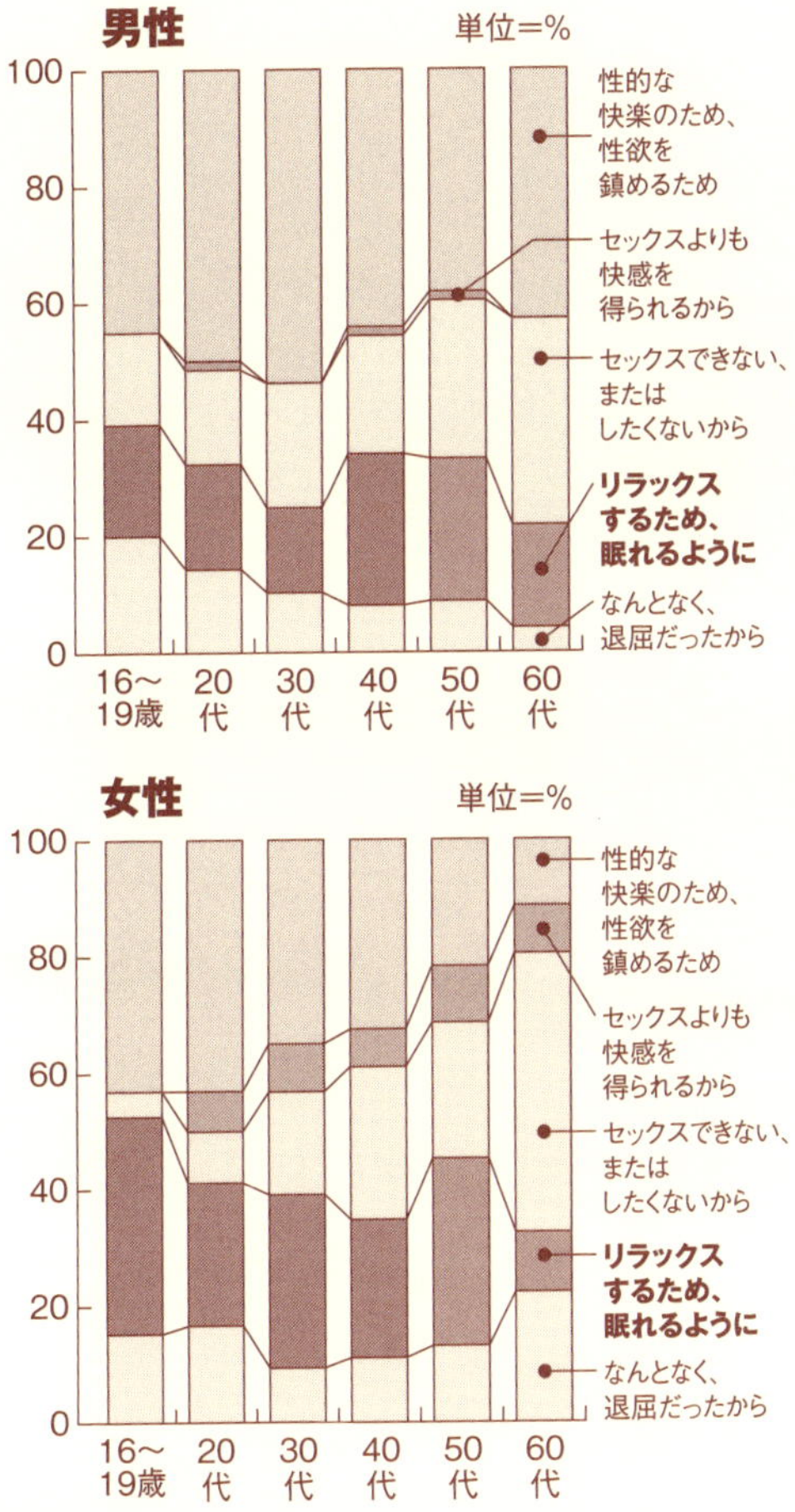
男性
単位＝％
100
80
60
40
20
0
16〜19歳
20代
30代
40代
50代
60代
性的な快楽のため、性欲を鎮めるため
セックスよりも快感を得られるから
セックスできない、またはしたくないから
リラックスするため、眠れるように
なんとなく、退屈だったから
女性
単位＝％
100
80
60
40
20
0
16〜19歳
20代
30代
40代
50代
60代
性的な快楽のため、性欲を鎮めるため
セックスよりも快感を得られるから
セックスできない、またはしたくないから
リラックスするため、眠れるように
なんとなく、退屈だったから

ないでしょう。

　恋人とのセックスライフが充実し、心身の健康にもよい影響をもたらすマスターベーション。これを実践することを、ためらう理由は何ひとつないと思いませんか？

　自分が気持ちよければいいので、マスターベーションをする頻度や方法に特別な決まりはありません。エロティックな気分になったら、リラックスできる雰囲気のなかで行ってください。

　クリトリスの刺激だけで絶頂感を得られる人もいますし、膣のなかの快感を楽しむ人もいます。指だけで刺激するのか、ローターやバイブレーターのようなアダルトグッズを使うのか、または電動歯ブラシなど身近な道具を使うのか、それぞれの女性の自由です。ただし、いずれの場合も清潔な状態を保つことは忘れないでください。

Chapter 6

実践篇3 膣はシンプル&丁寧に愛撫

男性の夢〝名器〟は実際に存在するのか？

男性にとって膣というのは、ミステリアスな場所のようですね。目で見て確認できるわけでもなく、指などで触れてみても構造がいまひとつよくわからない、おまけに女性が快感の真っただ中にいるときは刻々と形が変わるので、なんだか実態がつかめない……。多くの男性が持ついわゆる〝名器〟への憧れも、おそらくはこうした神秘的なイメージから生まれたものでしょう。

名器の定義というのは特になく、男性を悦ばせる構造をした膣のことをまとめてそう呼びます。膣壁に細かいヒダがうねうねとはっている〝ミミズ千匹〟、膣全体につぶつぶとした、細かい突起のようなものがある〝カズノコ天井〟などがその代表とされています。

なるほど、ペニスを挿入すると気持ちよさそうですね。非常に珍しいモノとされ、まるで都市伝説のように語り継がれていますが、何を隠そう、産婦人科医である私は正真正銘の名器に出会ったことがあるのです。

それは内診のために、ある女性患者の膣内に指を挿入したときでした。通常だと膣壁にはぼこぼことした凹凸があるはずなのに、この女性の場合は……びっくり！　細かい粒状のヒダが膣壁を覆い、ざらざらとした感触が医療用のゴム手袋を通してもはっきりと伝わってくるのです。ウワサに聞く〝カズノコ天井〟そのものでした。

こうした経験は、私がこれまで何万人という女性の膣を見てきたなかで、たった一度だけです。名器とは、それだけ希有な存在ということでしょう。

ただし、名器だからといって、そこに挿入した男性のペニスが必ず気持ちよくなるとは限りません。むしろ、膣の筋肉が熱いヒダのようになってペニスにからみつき、まるで精液をしぼり取るようにうごめくほうが、男性にとっては魅力的です。俗にいう〝締まりのよい〟膣です。

女性が感じると膣は充血して、入口側3分の1がぽってりとふくらみます。これが〝締まる〟という現象です。彼女が感じれば感じるほど膣は締まりますが、これには骨盤底筋という筋肉が大きく関係しています。そして個人差はあるものの、この筋肉は、腕や足の筋肉同様、鍛えることができます。126ページから紹介している簡単な運動を彼女が毎日繰り返せば、真の〝名器〟になることも夢ではありません。ふたりのセックスライフを充実させるために、あなたから提案するのもいいかもしれませんよ。

女性が感じる部分を愛撫するには指1本でOK!

きき手の中指1本——これさえあれば膣内で彼女が感じる部分をすべて愛撫できます。挿入する指の数が多いほど女性が悦ぶという考えは、間違い! 同じく指をペニスのように激しく出し入れするのも、アダルト作品に影響を受けすぎた的外れな行為でしかありません。

というのも、膣内で快感を覚えるのはGスポットとポルチオの2カ所のみ。それ以外の場所に刺激を与えようとするのは、はっきりいって無駄な行為です。徒労に終わるだけならまだしも、彼女が痛い思いをする可能性も十分にあります。

Gスポットは膣口から入って4～5㎝ほどの、お腹側に位置しています。直径1㎝ほどのごく狭いエリアなので、中指が1本あれば確実に愛撫できますし、激しいピストンはまったくもって不要です。

ペニスを挿入したときであれば、ピストン運動するたびにあなたのカリがGスポットを擦りあげ、彼女だけでなくあなたも快感に酔うことができますが、指はペニスのように引っかかりがないため、出し入れしてもそれほど意味はないのです。一度Gスポットに狙いを定めたら、指の腹をじわりと押しつけるようにして刺激するのが正解です。またはやさしくくすぐる、小さな円を描くように擦るという方法でもいいでしょう。

一方のポルチオは、膣のいちばん奥、子宮の入口にあります。日本の成人女性の膣の長さは平均8㎝前後といわれていますから、ここでも男性の中指が届かないという心配はありません。

まず膣に指を挿し入れ、Gスポットを通過し、さらに奥へと進むと、やがてコリコリとしたものに行き当たります。これがポルチオですが、彼女がすっかり濡れて感じているとしても、最初に触れるときはできるだけ慎重に、ソフトにしてください。ポルチオは痛みを感じやすい、デリケートな器官なのです。まして**高速ピストンは厳禁！** 女性にとっては苦痛でしかありません。女性の身体はいったん痛みを感じると、オーガズムから遠ざかってしまいます。指の先端や腹でほぐすようにして、やさしく、やさしく愛撫してください。

膣を舌で愛撫したいという男性もいるかもしれませんが、残念ながら、効果はほとんど期待できません。やわらかな舌では膣口を貫通すること自体難しく、膣内に入りこんだとしても、膣口から2、3㎝のところを刺激するのがせいぜいで、ポルチオはおろかGスポットにも届きません。

膣内の愛撫は指1本、彼女が物足りないというなら、これに人差し指をプラスした2本までが上限ということを覚えておいてください。

〝潮吹き〟を期待しすぎると、女性は苦痛に……

恋人に膣内を愛撫されているときに、おしっこがしたくなるという女性がいますが、これは特に珍しいことではありません。むしろ自然な現象といってもいいでしょう。Gスポットの真上には尿道があり、男性の指でここを押されることによって、女性は尿意をおぼえるのです。尿意と快感は紙一重。彼女がよっぽど不快に感じているようでなければ、そのまま指での愛撫を続けてかまいません。もしかすると、やがて彼女の尿道から、透明な液体があふれ出してくるかもしれません。これが〝潮を吹く〟という現象です。

〝潮〟の正体はまだ医学的に解明されていません。無色透明で、アンモニア臭もありませんが、おそらくは尿の一種だろうといわれています。水鉄砲のようにビュッと勢いよく噴き出す人もいれば、じわっとにじむようにして出てくる人もいて、さまざまなパターンが報告されています。量も個人差が大きいようで、ベッドに水たまりができたという話も耳にします。

潮を吹かせるためには、男性が思っている以上に強い刺激が必要です。しかし、彼女に潮を吹かせようと男性が力を入れてGスポットを擦ると、大多数の女性は快感より先に痛みや不快感を覚えてしまいます。これは、女性の身体を傷つける可能性もある、たいへん危険な行為です。潮を吹くかどうかは元々の体質によるところが大きいので、無理は禁物。彼女が痛がらない範囲で試してみて、潮を吹く気配がなければ、残念かもしれませんがあきらめてください。

しかも、女性にとって潮吹きがそもそも気持ちいいものなのかというと、どうやら断定できないようです。快感の頂点であるオーガズムとはまったく別の感覚だという報告もあります。潮を吹きながら快感におぼれる女性は、アダルト作品のなかだけで成立する、いわばファンタジーのようなものだと考えたほうがよいでしょう。

膣の愛撫 実践篇

膣への愛撫は、ペニスを挿入する直前の大事なステップ。指1本で敏感な部分を刺激できるため、手持ちぶさたに感じる男性もいるかもしれませんが、そんな場合はクリトリスなどほかの性感帯を刺激します。ただし、ルールは「膣＋1カ所」。膣で感じているとき、女性はその快感に集中したいものです。欲張って何カ所も刺激すると、かえってオーガズムが遠のいてしまいます。

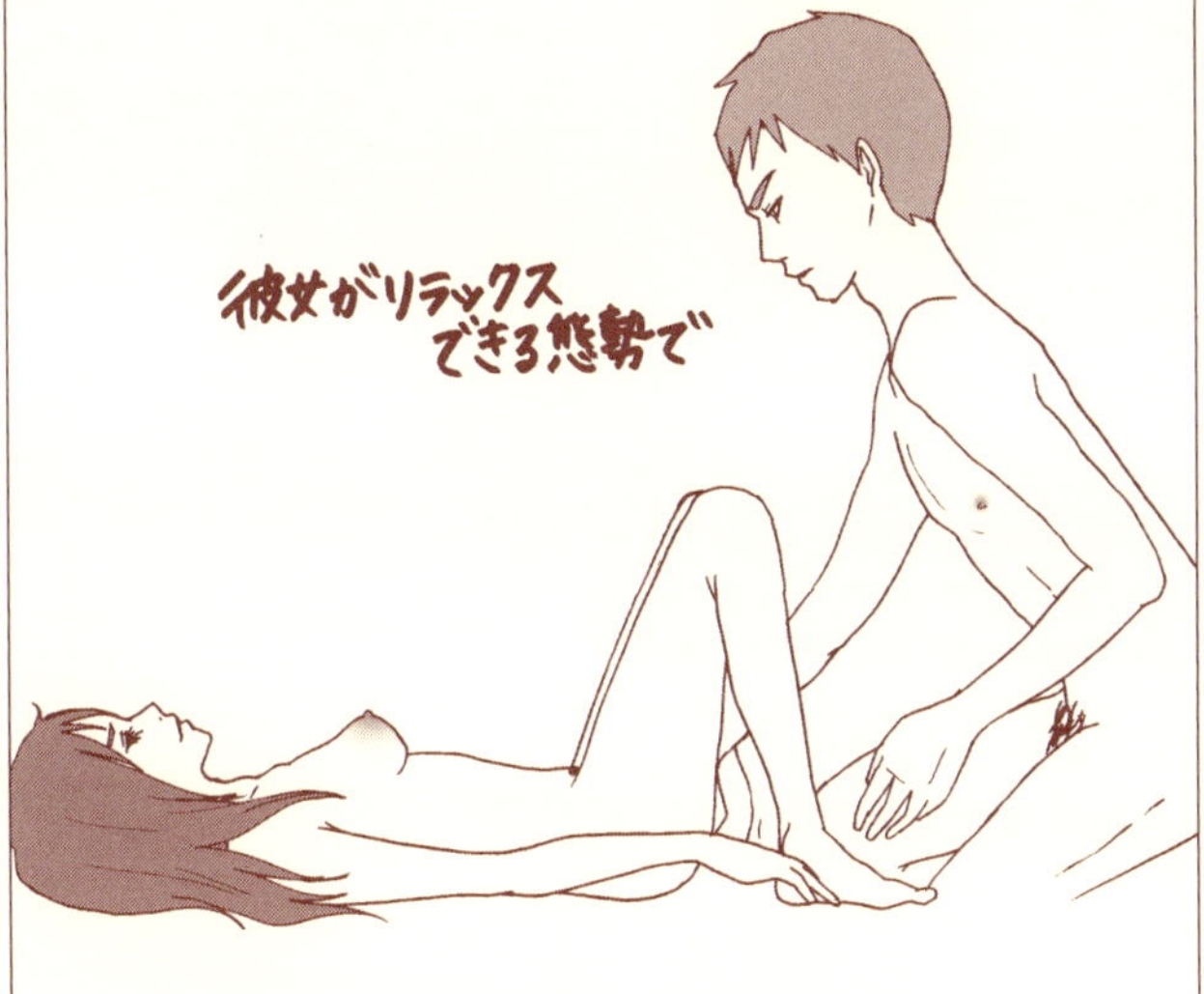

ポジション＝女性は仰向けに寝ると全身の力が抜けて、指の挿入がスムーズになる。男性の位置は自由だが、女性の脚のあいだに身体を入れ、正面から挿入したほうが指をまっすぐ奥まで入れられる

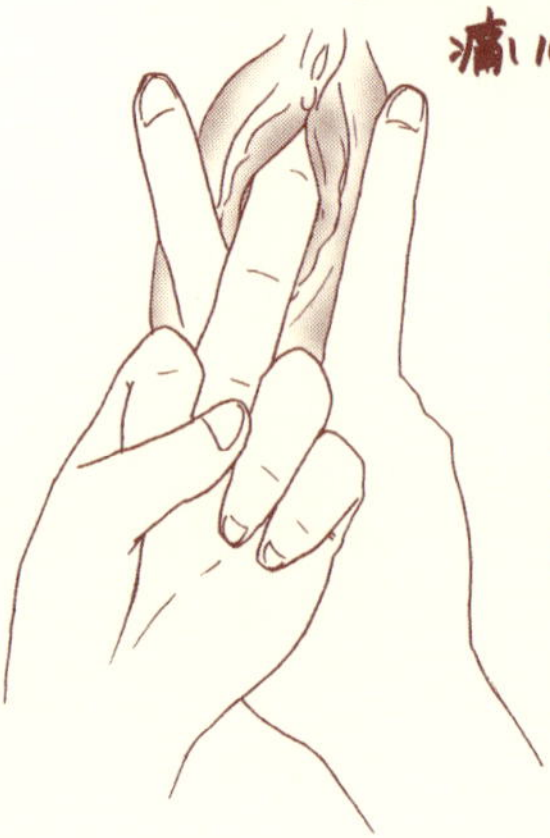
小陰唇が巻き込まれると
痛いので注意!

テクニック①＝片方の手の人差し指と中指で小陰唇を開き、もう片方の手の中指を挿入する。これによって彼女のラブジュースが少なくても、小陰唇が指に引っ張られて膣内に巻きこまれるのを避けられる

テクニック②＝まずは中指の第1関節までを挿入。そこで女性の反応を確認して、痛みや不快感がないようであれば、指の根元まで入れる。女性が痛がる場合は、ローションを使うとよい

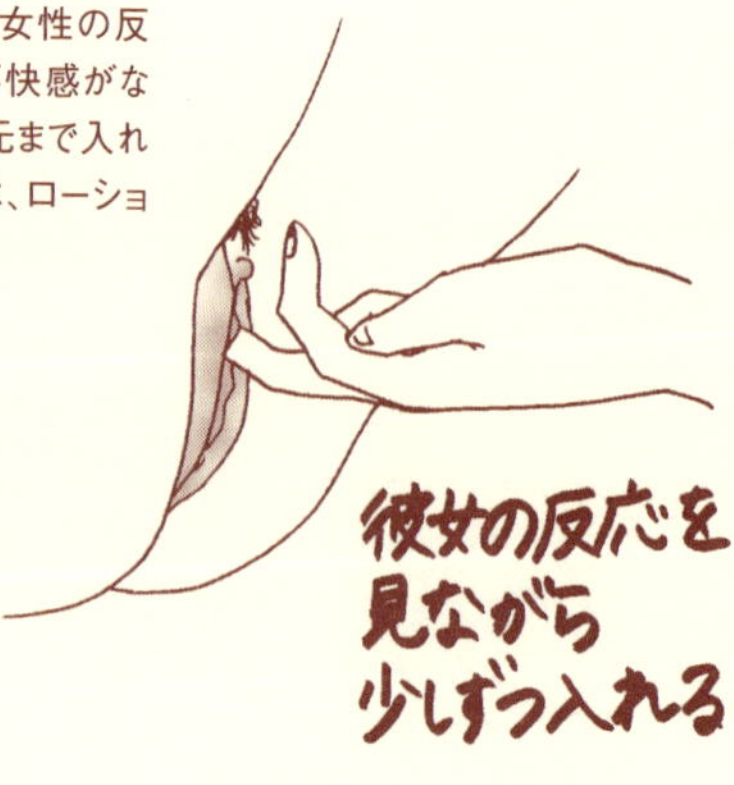
彼女の反応を
見ながら
少しずつ入れる

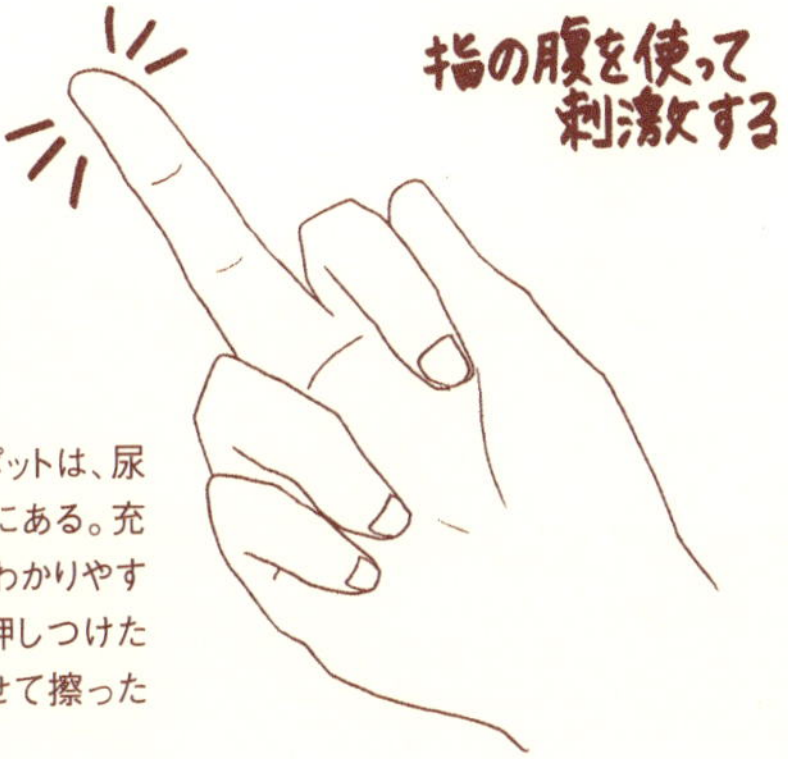
指の腹を使って
刺激する

テクニック③＝Gスポットは、尿道の下、膣のお腹側にある。充血するとふくらむため、わかりやすい。指の腹をやさしく押しつけたり、指を細かく振動させて擦ったり、ソフトに刺激する

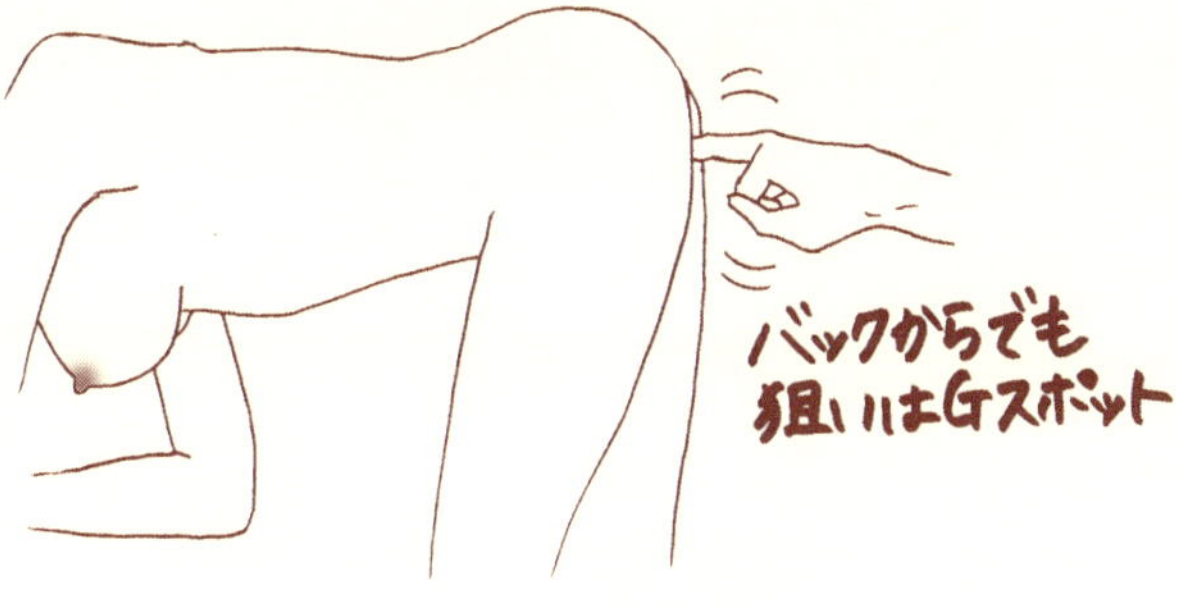
バックからでも
狙いはGスポット

テクニック④＝おしり側の膣壁は神経が少ないため、女性はあまり感じない。気分を変えてバックスタイルで愛撫するときは、指を上に向けて曲げるのではなく、下に向けてGスポットを刺激する

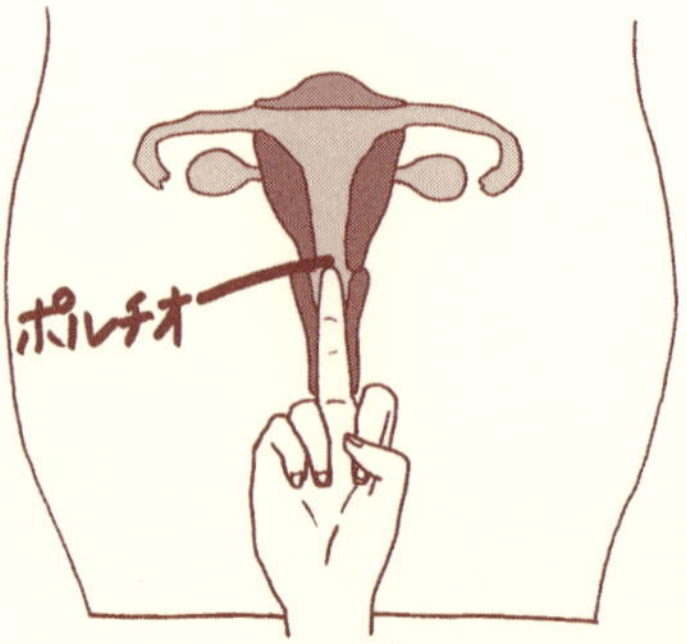

テクニック⑤＝ポルチオの刺激は、コリコリとしている部分を、指の腹でやさしくなでるようにしてほぐす。彼女が痛がっていなければ、徐々に刺激を強くしてもよい。彼女の反応をよく観察すること

オーガズムPOINT!

焦らず淡々とした愛撫を！

オーガズムが近づくと、ラブジュースの分泌量が増え、膣全体が厚みを増す。ここで焦って指の動きを速くすると台無し。テンポと強さを変えずに、Gスポットやポルチオを刺激しつづけると、じきにオーガズムが訪れる

締まりがよくなるエクササイズ Column

男性にとって真の“名器”とは、特殊な構造をした膣ではなく、“締まり”のよい膣です。男性のペニスを締めつける力、すなわち“膣圧”は、生まれつき決まっているものではありません。腹筋やその他の筋肉と同じく、鍛えることができるものなのです。

では、どこを鍛えるのかというと、骨盤の底に広がる筋肉「骨盤底筋」です。

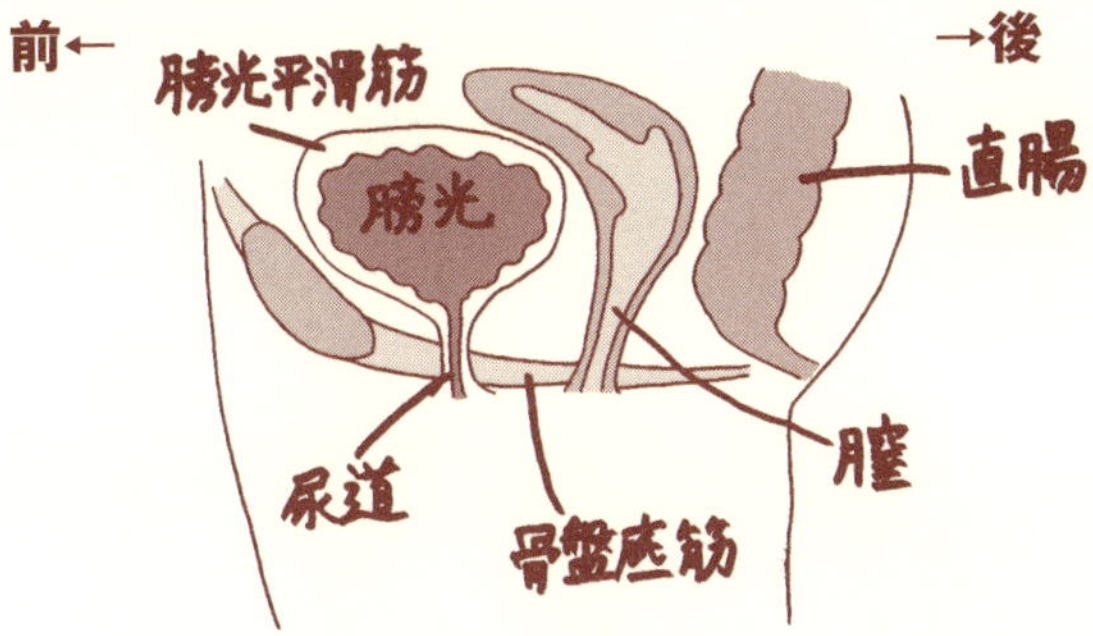

ここを鍛えるには「キーゲル体操」と呼ばれるエクササイズを行います。本来は、出産後の女性の悩みである尿漏れを改善したり、年配者が頻尿を克服するために実践されるもので、肛門と膣を締めることによって、尿道を締める力をアップすることを目的としています。方法はとても簡単。次ページ①の「基本エクササイズ」を5分程度行うだけで完了です。ただし、毎日繰り返すことが大切!　慣れてきたら②の「応用エクササイズ」に切り替えましょう。根気よく続ければ、3カ月を過ぎたころに、きっと効果が現れます。男性にとって理想的な、ペニスを締めつけ、ヒダが熱くからみつく膣へと生まれ変わるのです。

❶基本エクササイズ

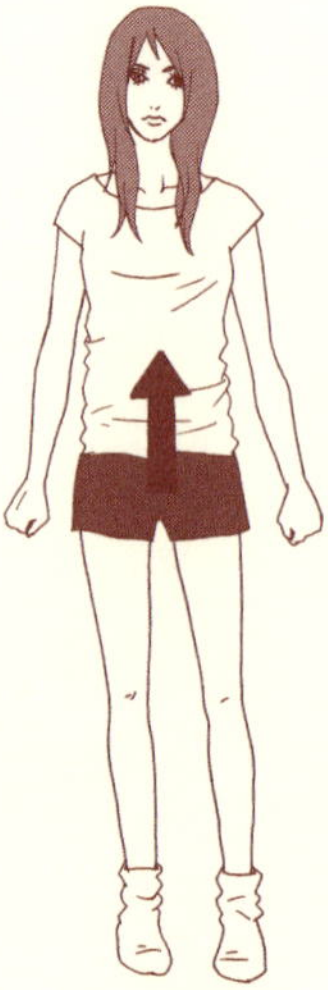

①

息を吸いながら、膣と肛門を、身体のなかに持ち上げるようにして、ギューッと絞りこむ。おしっこを途中で止めるようなイメージ

②

①の状態で、力を緩めないよう気をつけながら、5秒キープする。お腹やおしりの筋肉が動かないよう注意

③

力を抜いて、5秒休む

④

①～③の動きを8回で1セットとし、1日に5～10セット行う。朝、昼、夕方、就寝前など、何回かにわけて行うと効果的

❷応用エクササイズ

❶の動きをマスターしたら、Ⓐ～Ⓓのように姿勢を変えて同様のエクササイズを行います。

Ⓐ

あおむけになって、背筋をのばして行う

Ⓑ

ひじとひざを床について行う(雑誌を読みながらでもOK!)

Ⓒ

机に手をついて行う

Ⓓ

イスに座って行う

Chapter 7

実践篇4 男性だって愛撫してもらいたい!

ペニスのサイズを気にするのはナンセンス！

現代ではもうあまり見られないかもしれませんが、銭湯などで小さな男の子たちが裸になって、ペニスの大きさを比べ合う光景は、とてもほほえましいものだったそうです。男の子たちは実際に比較して大きい、小さいを確認するというよりは、ペニスを見せ合う行為そのものを楽しんでいるようですが、成人した男性はペニスのサイズについて、そう無邪気でもいられないようですね。自分は小さすぎるのでは？　大きすぎるのでは？　と深刻に悩む人は数多くいます。

男性を最も強く象徴するものだけに、それも無理からぬことかもしれませんが、でも、考えてみてください。あなたは、恋人の乳房が好みの大きさではないからといって嫌いになりますか？　彼女の性器の形や色が思っていたのと違うからといって、性欲が減退しますか？　それと同じことで、ペニスの太さや長さにこだわりすぎるのは、まったく意味のないことです。

日本人のペニスの平均的なサイズは、勃起していない状態で長さ8・5㎝、周囲の長さ8・6㎝とされています。欧米人の平均は長さ9・5㎝、周囲の長さ9㎝といわれていますから、彼らのサイズが日本人を上回るものであることは事実のようです。

ただし、日本人の特徴はその膨張率。弛緩しているときと勃起しているときのペニスのサイズを比較すると、アメリカ人が2・6倍膨張するのに対して、日本人は3・5倍の膨張率という数字をはじき出しています。

また、はっきりとしたデータはありませんが、欧米人のペニスが勃起時にもやわらかさを残しているのに対して、日本人をはじめとする東アジア人のペニスはかなり固くなるという意見が多いようです。

大きいのがいいか小さいのがいいか、硬いのがいいかやわらかさを残しているほうがいいか、それは**女性の好みによります。**また、小さいから快感が少ない、大きいからすごく感じてしまうということもありません。たしかに、恋人のペニスが小さいことで物足りない思いをしている女性は存在しますが、その一方で大きすぎるペニスが入ってくることを苦痛に感じている女性も少なからずいるのです。

どちらにしろ、体位を工夫し、挿入の角度を調整することで解消できることなので、悩む必要は一切ありません。サイズなど気にせず、彼女とふたりで楽しめる〝つながり方〟を追求するほうがセックスをより楽しめると思いませんか？

フェラチオ嫌いな彼女にペニスを愛撫してもらうには？

彼女の身体を丹念に愛撫し、味わって、いよいよ挿入……の前に、男性だって彼女にペニスを愛してもらいたいですよね。前戯であなたからの愛情と思いやりを感じたなら、彼女のほうから自然にあなたの身体に触れてくるはずです。そして積極的にあなたが気持ちよくなることをしてくれるでしょう。

ただし、交際期間が長いならともかく、つきあい始めたばかりのころは、彼女はあなたのどこが感じるポイントなのかわからない状態です。あなたが彼女の身体を前に悩み、少しでも多く感じてもらいたくて試行錯誤したように、彼女もあなたの快感のポイントを知りたがっています。

ペニスの快感は、女性にとってはわからないことだらけ。だから、どこが敏感なのか、どうされるとうれしいのかを、**できるだけことばにしてあなたから伝えてください**。あなたが心と身体をオープンにするほど、彼女の愛撫は濃密なものになるでしょう。

ペニスへの愛撫には、口によるものと手によるものと、主に2種類があります。どちらもしてほしいというのが男性の本音だとは思いますが、女性のなかには特に口での愛撫、つまりフェラチオを好まない人もいます。その理由として、まずは心理的に抵抗があるからというもの、そして「オエッ」という嘔吐感があるからというもの、このふたつが挙げられます。

前者の場合、心から嫌がっている女性に無理強いをすることは断じてあってはなりません が、後者については解決法があります。喉の奥や舌の付け根にものが当たると、人は反射的に嘔吐します。お酒で悪酔いした人が口のなかに指を入れて吐こうとしている場面を見たことはありませんか？　それと同じ現象が、彼女にも起こっているのです。ということはつまり、彼女の喉の奥にペニスが当たらないよう、ふたりの姿勢などを工夫すればいいのです。144ページからのオーラル実践篇を参考に、女性にとって負担にならない方法を、あなたからアドバイスしてください。そうすれば、いままでは気が進まなかったという彼女も、きっとリクエストに応えてくれるようになるでしょう。

〝ディープスロート〟はそれほど気持ちよくないという事実

フェラチオのテクニックと聞いてすぐに、〝ディープスロート〟ということばが思い浮かぶ男性は少なくないでしょう。女性が男性のペニスを根元までくわえるという手法ですが、直訳すれば「喉の奥深く」というだけあって、必然的にペニスは女性の喉の奥をノックし、彼女に嘔吐感など苦しい思いをさせることになります。

ところが、このテクニックは、アダルト作品では定番となっているようです。何度もいいますが、アダルト作品は男性の性的願望を具現化した、いわばファンタジーのようなもの。そこで必ずといっていいほどこのようなシーンが用意されているということは、ディープスロートは女性に苦痛を強いるというリスクを差し引いても、男性にとっては極上の悦びをもたらすものに違いない……と思われるかもしれません。しかし、実はこれは大きな間違い！　女性の喉の奥まで挿しこんでも、ペニスはそれほど大きな快感を得られないのです。ペニスで最も敏感な場所は、亀頭と、裏筋の上にある〝小帯〟といわれる部分です。ペニスで気持ちよくなるためには、このふたつが集中している先端部を刺激するのが最も効果的。根元まで一生懸命くわえてもらっても、はっきりいって時間の無駄でしかありません。

ディープスロートは、ビジュアルのインパクトを追求しただけのもの。あなた自身たいして気持ちよくもないのに、彼女の負担ばかりが大きいだけの行為を求めるなんて、そろそろやめませんか？

フェラチオをなるべく長い時間楽しむには?

あなたは、彼女の唇や舌での刺激で完全に勃起した後は、すぐに膣に挿入したいタイプですか? それとも、そのやわらかな愛撫で射精まで楽しみたいタイプでしょうか? どちらにしろ、彼女の口内のあたたかな感触を、長く味わっていたいですよね。

ペニスが気持ちよくなると、静脈の血流が増して亀頭の色が濃くなり、陰のうがキュッと縮むように上がります。同時に、無意識のうちに腰を前に突き出すようになります。

この状況でさらに刺激を続けると、ほどなくオーガズムが訪れ、射精に至ります。

すぐにイッてしまわないためのコツは、7割ぐらいのところで彼女に愛撫を一度中断してもらい、快感の波が少し引いたところを見計らって再開することです。オーガズムに達する寸前までいくと後戻りできませんが、その一歩手前で自分に〝オアズケ〟をすることで、気持ちのいい状態が長く続きます。

あなたが彼女を焦らしたのと同じように、少しオアズケをすることで後の快感が大きくなるのです。この方法は、早漏で悩んでいる人にとっても、克服のためのよい訓練になります。

また、射精の最中に手でぎゅっとグリップしたり、強く吸ったりといった強い刺激がほしいのか、軽く握ったり、口でやんわりと包んだりソフトな愛撫がよいのかは、男性それぞれの好みによります。グリップ力も人によってはかなり強いものを求めますが、強く握ったからといって鬱血などのトラブルが起きることはそうそうありません。ただし、強いグリップに慣れすぎると、女性の膣内での刺激では物足りなくなり、遅漏などの射精障害につながることもあるので気をつけましょう。

彼女のあたたかい口の中に精液を放つのは、フェラチオの醍醐味のひとつです。男性にとっては、恋人の愛情を強く感じる瞬間でもありますね。

あなたのペニスの先から放出された精液を飲むか飲まないかは、彼女の判断に任せてください。精液のにおいや味は、その人ごとに固有のものがありますが、決しておいしいものではありません。仮にあなたが自分の精液を飲めといわれても抵抗があるように、彼女にとっても多少の我慢が必要な行為であることは覚えておきましょう。

ただ、精液を飲みこんでも身体に悪影響はありません。男性ホルモンが含まれているから摂取するとヒゲが生えてくるというのも、都市伝説のようなものなので、ご心配なく。

ペニスに次いで敏感な性感帯、陰のうも同時に刺激！

ペニスと同時に陰のうも彼女の手や舌で愛撫してもらいたいというのは、男性の自然な欲求です。神経がつながっているため陰のうの快感はペニスに伝わり、ペニスの快感は陰のうに伝わります。女性と比べると快感のツボが少ない男性ですが、それだけに積極的に、貪欲に気持ちよさを追求してほしいものです。

陰のうのなかには睾丸《こうがん》がふたつセットで収められていて、成人男性のそれはやや平べったい楕円形をしています。薄い膜のようなものに包まれていて、ここで毎日数千個の精子が作られているわけです。

日本人の精巣の平均サイズは、大きさが直径4㎝前後といわれています。重さは右が8・39g、左が8・45g。左が右よりもわずかに大きいのが一般的です。それにともない、位置も左のほうが自然と低くなります。

この精巣には15㎖程度の精液をストックしておくことができますが、溜まっていくに従って、それを放出したいという欲求、つまり性欲を感じることは大多数の男性が身をもって体験しているでしょう。

少数派ではありますが、陰のうを刺激するとペニスより感じる人もいます。ここだけでオーガズムに達する可能性もありますが、女性にとってはペニス以上に、どう愛撫していいのか、いまひとつわかりにくいところでもあるのです。ここでも、どんなふうに愛撫してほしいのか、あなたの口からはっきりと伝えることが、快感への近道となります。

手でも口でも愛撫できますが、彼女が慣れてきたらぜひ複合ワザに挑戦してもらいましょう。ペニスを口にふくみながら手で陰のうを撫でる、またはその逆で、ペニスを手でしごきながら陰のうを口にふくむなど、同時に刺激するとよりいっそう大きな快感を得られますよ。

また、男性にとっても乳首や耳たぶなどは敏感な性感帯ですが、これらの感じ方は男女ほぼ同じです。まずあなたが彼女を愛撫するときに、自分がされるとうれしいやり方で触れてください。後で、それを彼女にまねてもらうと、彼女があなたの快感のツボを覚えやすくなります。

ペニスへの愛撫 実践篇〈フィンガーテク〉

たいていの男性は、マスターベーションの際に自分の手でペニスを刺激するのに慣れているため、彼女にアドバイスをするのは、それほど難しいことではないでしょう。まずは自分の手でお手本を示すと、彼女も理解しやすくなります。または、あれこれ口を出さずに彼女の好きなようにしてもらって、自分でするのとは違った刺激を楽しむのもよいものです。

ふたりともが
楽な姿勢であればOK

ポジション＝特に決まりはないが、寝転がった男性の隣に座れば、空いたほうの手や口で、乳首や耳たぶなどを刺激しやすい。または、ふたりとも寝転がり、女性が男性の背から腕を回せば、密着度が高まる

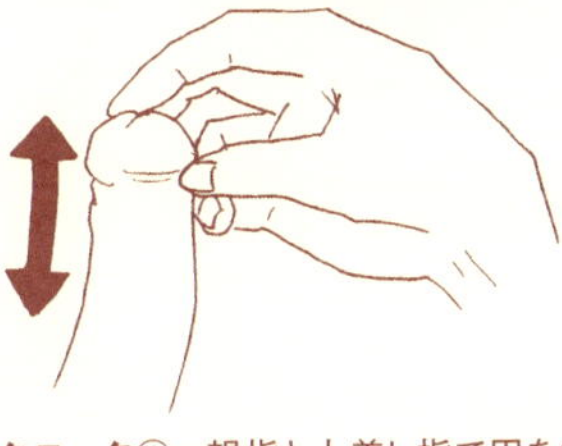

滑らかな
上下運動で！

テクニック①＝親指と人差し指で円を作り、亀頭の少し下を握る。中指をそっと添えてもよい。そしてペニスの幹にあたる部分を、スムーズな指使いで皮ごと上下にしごく。動きが途切れないよう注意

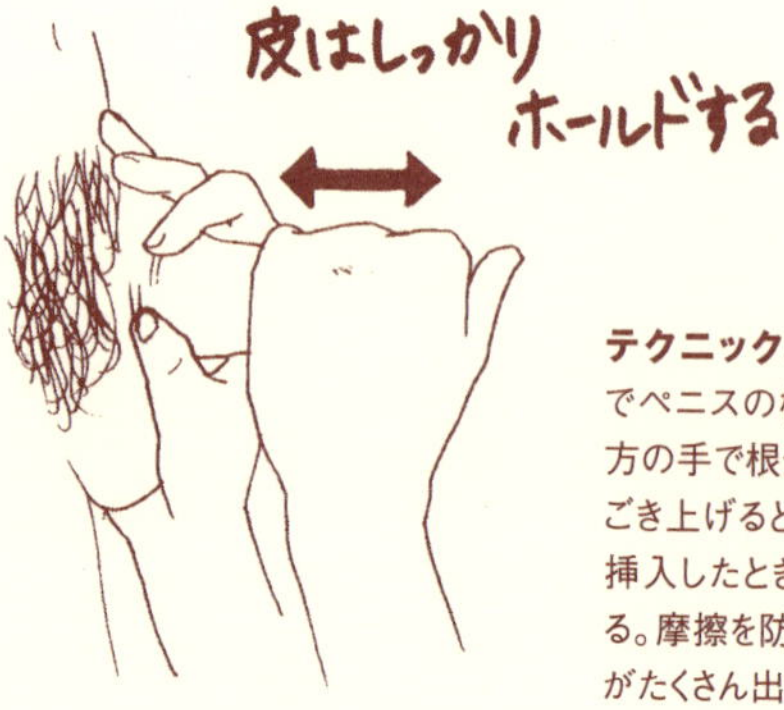

テクニック②＝余分な皮を片手でペニスの根元に集めて、もう片方の手で根元から亀頭の先までしごき上げると、男性は女性の膣に挿入したときと近い感覚を楽しめる。摩擦を防ぐため、カウパー腺液がたくさん出ているときに行う

敏感な先っぽ部分を集中的に

テクニック③＝人差し指と中指で亀頭の根元をねじるようにしたり、ビール瓶の栓を抜くように亀頭をはじいたりすると、最も敏感な亀頭と小帯を集中的に愛撫でき、大きな快感につながる

テクニック④＝余裕があれば、空いているほうの手で陰のうをさすったり、乳首や唇にキスしたりする。男性には“ブレンド・オーガズム”はないが、快感のポイントが多いと悦ばれる

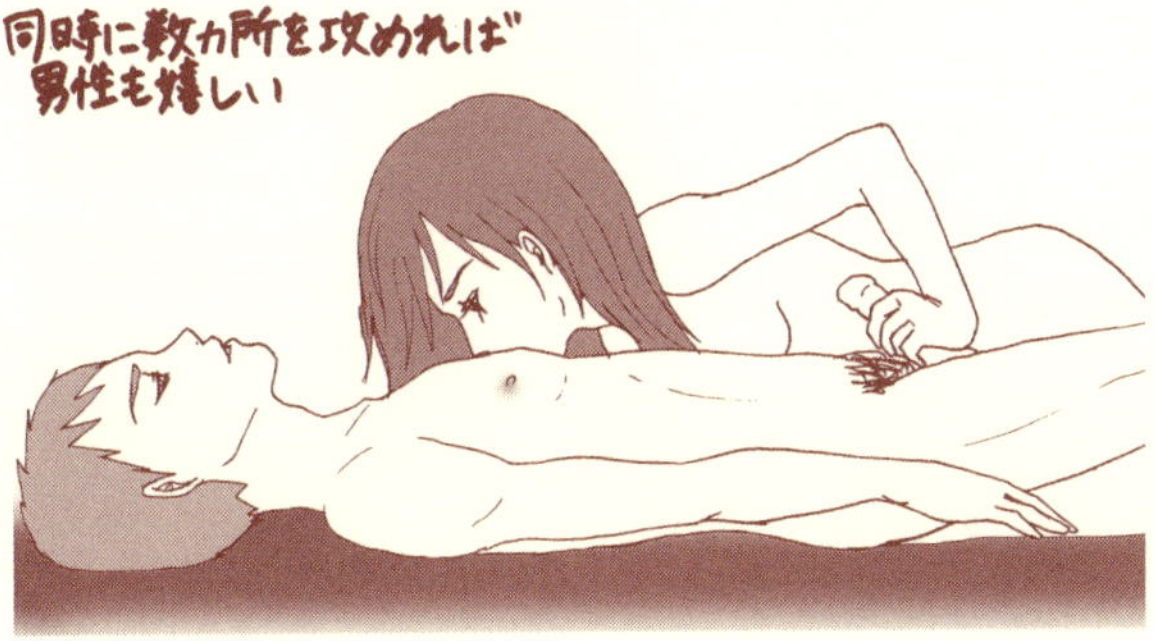
同時に数カ所を攻めれば
男性も嬉しい

イキそうに
なったら
スピードアップ！

オーガズムPOINT!

オーガズムの兆しが見えたら、手を上下させるスピードを速くする。両手で全体を包むようにして上下させると膣に近い状態になり、射精をしやすいという男性もいる

ペニスへの愛撫 実践篇〈オーラルテク〉

ラブジュースに濡れた膣と同様、唾液で常に潤っている口内は、ペニスにとってきわめて心地のいい空間です。これまでフェラチオを敬遠していた彼女でも、嘔吐感を避ける姿勢を選ぶなど、あなたの積極的な協力があれば、応えてくれる可能性はあります。フェラチオは女性からの一方的な行為ではありません。ふたりで行うものだという意識を持ってください。

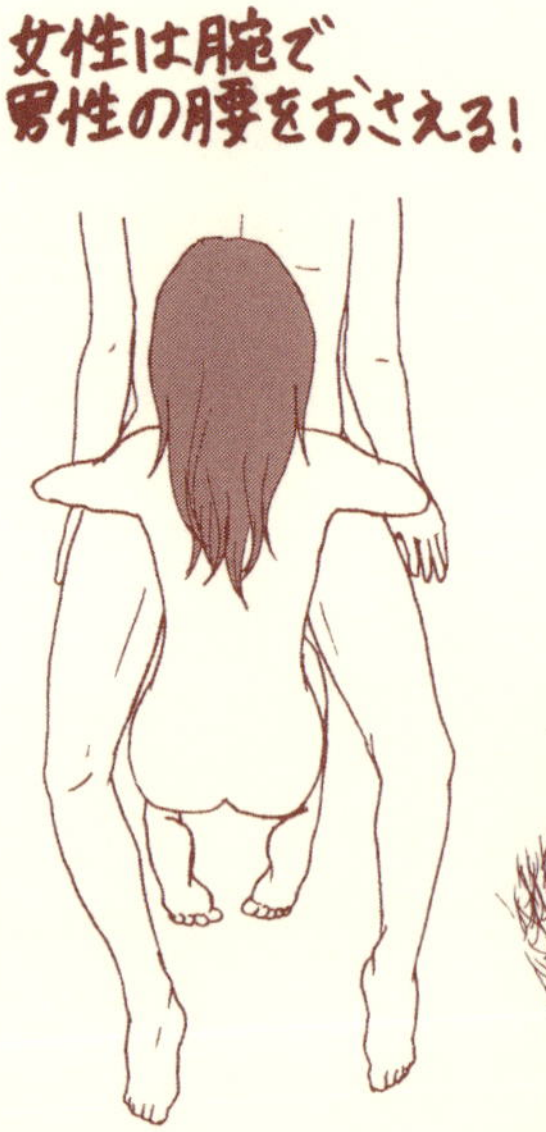
女性は腕で
男性の腰をおさえる!

ポジション①＝男性は仰向けに寝転がる。女性はその脚のあいだに身体を置き、ペニスの根元を手で握り、同じほうのひじで男性の骨盤を押さえる。腰とペニスの位置が固定されるので、女性の喉に突き刺さる心配がなくなる

ペニスを
突き出さない工夫を

ポジション②＝親指と人差し指で陰のうを、中の睾丸ごとつかみ、さらに全体を手のひらで包む。これを肛門のほうに向かって引き下げれば、手綱《たづな》の役目を果たし、ペニスが前に突き出されるのを防ぐ

シックスナインは
気分転換程度に

ポジション③＝どうしてもディープスロートにこだわる場合は、シックスナインの態勢で行うと、ペニスを根元までくわえても、喉に刺さらない角度になる。ただし、亀頭や小帯は刺激できない

柔らかくても触れてもらえば
気持ちいい

テクニック①＝まだペニスが勃起していない状態でも、口に含んでよい。その感覚を楽しむ男性も多い。吸うときは唇をしっかりペニスの周りに密着させて、息が漏れないようにする

テクニック②＝唇のあたりが滑らかになるため、唾液は多いほどよい。口から漏れても、吸いこまずに流れるままにしておく。口が渇いているときは、事前にガムなどを噛めば口内が潤う

たっぷりの唾液が
潤滑油に

テクニック③＝包皮がある場合は、最初から無理にむかなくてもよい。皮の中に舌を入れたり、唇の先で包皮をむいて上下させたり、皮を利用した愛撫をすると、ほどよい刺激がペニスに伝わる

包皮は無理にむかなくてOK

テクニック④＝亀頭や小帯を愛撫するときは、まず手を使って皮をペニスの根元に集めてから、アイスキャンディを舐める要領で、ぺろぺろとまんべんなく舌を這わせる

先端をペロペロするとGOOD!

テクニック⑤＝基本的には歯を立てないように唇でカバーしながら上下運動を行うが、時おり歯の裏側を使ってアクセントをつける。細かくキスしたり、舌先で小突くなど刺激に強弱をつけて、単調になるのを防ぐ

多彩な愛撫が快感につながる

ココを刺激
複合テクニックで
至福の時間♡

テクニック⑥＝余裕があれば、手と口の複合ワザに挑戦。亀頭と小帯を舌先でやさしく刺激し、やや鈍感なサオの部分は手で上下にしごく。あらかじめペニス全体に唾液をまぶしておくこと

オーガズムPOINT!

精液を吸い上げるような
感覚で!!

オーガズムの兆しが見えたら、亀頭全体を口ですっぽり包む。こうすると男性は、膣内に挿入したのと同じ快感を得られる。上下にしごきながら、強く吸って射精へと導く

陰のうへの愛撫 実践篇

ペニスと陰のうは、一方を愛撫すれば快感がもう一方にも伝わる構造になっています。どちらを先に愛撫するか、特に決まりはありません。先にペニスを手や口で愛撫し、十分にエレクトさせてから陰のうを手でさするのもいいですし、まず陰のうをサワサワとかわいがってからペニスを口にふくむのも、焦らされているようで快感につながります。

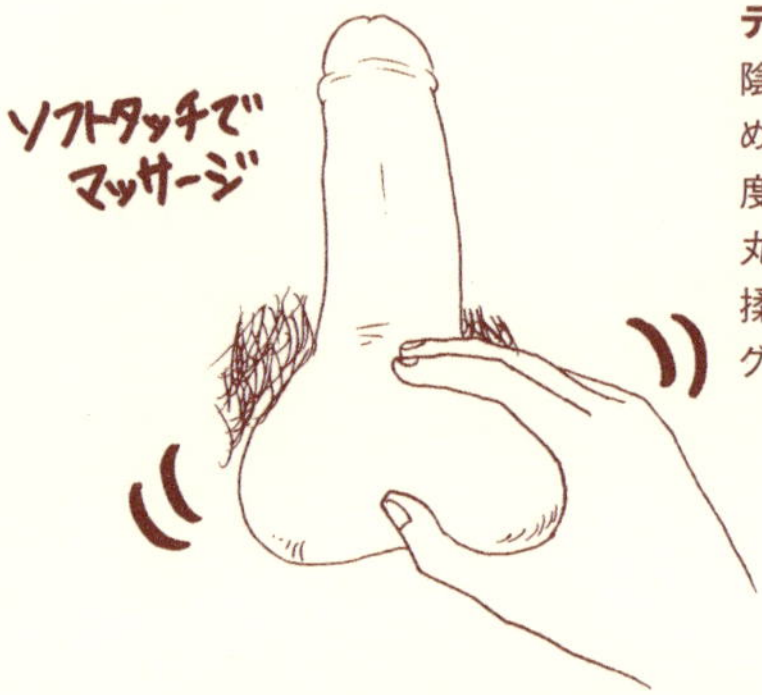
ソフトタッチで
マッサージ

テクニック①＝5本の指で陰のうをマッサージする。初めは皮膚の表面をなぞる程度のソフトタッチで。次に睾丸を指先で転がすようにして揉む。親指と人差し指でリングを作って刺激してもよい

テクニック②＝ペニスと陰のうを同時に愛撫するときは、ペニスを頭側に引きあげて上下にしごき、陰のうは肛門側に引き下げ、指でねじるようにマッサージする

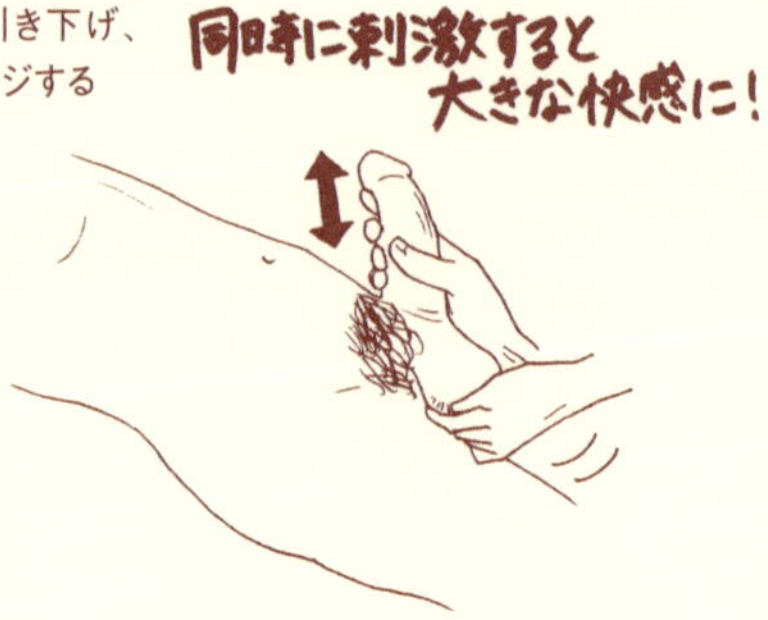
同時に刺激すると
大きな快感に！

Chapter 8

実践篇5 いよいよ挿入=クライマックス!

挿入のタイミングは彼女に決めてもらうこと

彼女の膣があなたの中指での刺激に慣れ、同時にあなたのペニスが膣を貫通するのに十分な硬さになったら、いよいよ挿入です。

挿入するタイミングは、彼女に決めてもらうのがいいでしょう。膣がペニスを受け入れる準備ができているかどうかは、彼女自身がいちばんよくわかっています。もしもあなたの彼女がとてもシャイな性格で、はっきりと挿入をうながすことができない場合は、「もう入れても平気かな?」などというように、あなたからやさしく尋ねてください。

彼女のOKが出たからといって、いきなりペニスをずぶりと奥まで挿しこんではいけません! **可能なかぎりゆっくりと挿入するよう心がけましょう**。そうしないとペニスの進入にともない、小陰唇が膣内に巻きこまれてしまいます。これは女性にとって、とても痛いもの。膣の入口に擦りキズをつくってしまうこともあり、たいへん危険な行為です。

注意すべき場所は、もうひとつあります。それは、膣の最も奥、つまり子宮の入口にあるポルチオです。無理に奥まで押しこむと、ここに激痛が走ります。指で愛撫してよくほぐした後だとしても、慎重さを失わず、彼女の反応を見ながらゆっくり奥に進んでください。

また、あなたと彼女が子どもをほしいカップルでないのなら、挿入の最初の段階からコンドームをつけておきましょう。産婦人科の外来を訪れる女性のなかには、望まない妊娠をしてしまった人もいます。避妊していたのに……と嘆く人もいますが、よくよく話を聞くと、最初は〝生〟の状態で挿入し、男性の射精が近づいてからようやくコンドームを装着するか、もしくは膣外射精をする習慣だったと判明するパターンがほとんどです。これではコンドームの効果は半分以下になってしまいます。

カウパー腺液には多かれ少なかれ必ず精子が混ざっています。コンドームは必ず挿入前からつけること。男女ともに、決して忘れてはならないルールです。

ピストン運動は速いほうがいいとは限らない

性器と性器をつなげて、あなたと彼女の身体がひとつになったら、その後の時間の使い方には2段階あります。

まず親密なムードを高めながら気持ちを確認しあうための時間が1段階め。そして2段階めは、ふたりで快楽を追求して、オーガズムを目指すための時間です。それぞれの段階で、あなたと彼女の体位や動き方は、大きく変わります。

では1段階めから見てみましょう。互いの愛情を確信しあっている男女が饒舌すぎる愛のことばを必要としないのと同じく、親密なムードを盛り上げるときに激しいピストン運動はいりません。ペニスを速く出し入れするよりも、深く挿入したまま、お互いの身体をじっと密着させてください。

そして、ふたりの呼吸に合わせて男性が腰をゆっくり動かします。女性の膣はワンストロークごとに形が変化します。スローな腰の動きだと、この膣の変化があなたのペニスにもしっかり伝わるため、ふたりとも心地いい快感に浸れるでしょう。

ペニスが当たる場所や、その場のムードによっては、彼女がオーガズムを迎えることもあるかもしれませんが、その場合はなりゆきに任せてください。オーガズムを我慢する必要はまったくないのですから。

ただし、彼女がイカないからといって焦る必要はありません。焦らして焦らして彼女の心も身体もいっそう敏感にしたうえで、2段階めに突入し、ふたり一緒に強い快楽に飛びこむのもまた、すばらしい経験ですよ。

肉体的快感を追求し、オーガズムを目指す2段階めでは、男性はリズミカルに腰を動かす、いわゆる〝ピストン運動〟を行います。あなたのペニスが膣に出入りするたびに、張り出したカリが彼女のGスポットを擦り、これによって男女が同時に強い快感を得られるのです。ポルチオも十分にほぐれているはずですから、亀頭の先でノックされると彼女はますます快感に身悶えしはじめます。

ピストン運動のスピードは、速ければいいというわけではありません。情熱的に腰と腰をぶつけ合うという激しい雰囲気に酔うのも悪くはないですが、男性ならあたたかな膣がうごめく様子を、女性ならペニスが自分の最も敏感な部分を擦りあげる感覚を、じっくり味わえるスピードのほうが、ふたりで一緒に盛り上がれると思いませんか？　お互いの表情を確認したり、コミュニケーションをとったりしながら、ふたりにとって最適のスピードを見つけ出してください。

ここでいうピストン運動とは、あくまでも**前後の動き**です。

セックス指南本や男性誌などには腰を「の」の字にくねらせるというテクニックが紹介されていることがあります。ペニスを回転させて前後運動とは違った刺激を与える狙いなのでしょうが、よく考えてみてください。ペニスの根元を回転させたところで、先端のカリはほとんど動きません。膣の入口には多少の刺激が伝わるかもしれませんが、女性が最も感じるGスポットとポルチオには何の影響もないのです。体力を消耗するだけで、女性の評判はいまひとつ……という結果に陥りがちですよ！

体位を変えれば長い時間、挿入を楽しめる

セックスの途中でなぜ体位を変えるかというと、気分を変えながら挿入の時間を長く楽しむためです。短時間であまりに頻繁に体位を変えると女性は快感に集中できずシラけてしまいますが、単調なだけのピストン運動もまた、退屈なものです。

基本的な体位は、正常位、騎乗位、座位、後背位《バック》の4種類です。

たった4種類⁉　と思われるかもしれませんが、たとえば正常位ひとつとっても脚を開くか閉じるか、曲げるか伸ばすかによって、感じる場所、感じ方はあなたも彼女もすべて違ってきます。さらに身体の密着度を変化させることで、男性の恥骨がクリトリスを擦りあげたり、手を伸ばして女性の乳首を刺激したりといった〝オプション〟を加えることもできます。それぞれの体位が無限のバリエーションを持っているといってもいいでしょう。

この4種の体位を楽しむための順番は特にありませんし、また全部こなさなければならないということもありませんが、**最初に挿入するときは正常位がおすすめ**です。女性があおむけになるため足腰の力が抜け、ペニスを受け入れやすくなっているからです。

反対に、最初の体位としては避けたほうがいいのは、騎乗位。ペニスがいきなり膣の奥まで刺さると、まだほぐれていないポルチオを刺激して痛い思いをさせてしまう可能性があります。騎乗位は、彼女がペニスで本格的に気持ちよくなるまで待ってからトライしましょう。

オーガズムに達しやすい体位は男女で違う

より感じやすい体位、オーガズムに達しやすい体位というのはありますが、残念なことに男女でそれぞれ異なります。

男性の場合は、正常位か後背位。ペニスの入る深さやピストンのスピードを自分でコントロールしやすく、フィニッシュのタイミングを自分で決められます。そして女性の場合は、後背位や騎乗位のほうが、Gスポットやポルチオという敏感な部分にペニスが当たりやすいため、オーガズムまで至る可能性が高まります。

反対に、女性がイキにくいのは正常位です。興奮すると膣の上部が充血してふくらむため、ペニスでGスポットを刺激するのが難しくなるからです。

同じ体位であなたと彼女が同時に気持ちよくなれればいうことはありませんが、不幸なことにどんなに仲睦まじいカップルでも、男性の好きな体位では女性がそれほど気持ちよくなれず、女性が悦ぶ体位では男性はなかなかイクことができない……ということはままあります。

こんなときは、お互いさま。相手のお気に入りの体位を尊重しあいましょう。それぞれに好きな体位を交互に行えば、どちらにも不満は残りません。ただ男性は一度射精してしまうと回復までに時間がかかるため、まずは彼女をオーガズムに導き、満足させてから、あなたの好きな体位に持ちこむのがいいでしょう。

ただし、体位を変えるときの注意点がひとつあります。ペニスはその都度、抜いてください。一度、彼女とつながったら離れがたい気持ちはわかりますが、ペニスを挿入したまま腰をひねると、その拍子に彼女の小陰唇が膣内に巻きこまれたり、ペニスの先端が気持ちよくないところにあたったりして、女性にとっては不快なことのほうが多いのです。彼女のラブジュースがよほど多いか、ローションを使っているとき以外は、**体位を変えるたびに挿入しなおす**のがマナーです。

身体の相性がいい悪いって本当にあるの？

産婦人科医としてセックスについての悩みに耳を傾けていると、「パートナーとの相性が悪い」と話す女性が少なからずいることに気づきます。ときにはそれが夫婦やカップル間のセックスレスの原因にもなるため、見過ごせない問題です。

肉体的な〝相性〟というのは、ほんとうにあるのでしょうか？　たとえば、前のパートナーとは充実したセックスライフを送っていたのに、いまのパートナーとは何度抱き合ってもなかなか気持ちよくなれない……。これは、身体と身体の相性の問題なのでしょうか？

結論は、イエスが半分、ノーが半分です。

あなたのペニスの大きさ、勃起したときの硬さや角度が、彼女の膣の大きさや深さにジャストフィットし、ピストン運動するたびに、ちょうどよくGスポットを擦りポルチオを刺激する――これは確かに肉体的に〝相性がいい〟といっていいでしょう。こんなパートナーと出会えたとすれば、それはとてもラッキーなことです。

では、相性が悪いというのは、どういう状態をいうのでしょう？

たとえばペニスのサイズが小さいとGスポットに当たりにくい。それとは逆にペニスが大きすぎて、女性が感じていないうちから子宮の奥をノックしてしまう。こうなると女性は痛がるため、男性はろくにピストン運動ができず、お互いに満足を得られない結果に終わります。大きくても小さくても、それぞれに苦労があるのです。

原因がペニスだけにあるとは限りません。女性側の身体的特徴によって相性の善しあしが決まることもあります。俗に、膣と肛門のあいだが長いことを〝上付き〟、短いことを〝下付き〟といいます。実際には、ほんの数ミリの差に過ぎませんが、挿入したときにペニスの先があたる角度が変わるため、ずいぶんと違いを感じる男性も多いようです。

とはいえ、パートナーが自分の身体にぴったり合ったペニス、または膣でないとしても、それほど深刻に悩むことではないのです。**体位を工夫すれば解決できる**のですから。

前述したとおり、基本の正常位、騎乗位、座位、後背位だけでも、脚の角度や開く幅を変えれば、無限の組み合わせができます。どんなに身体と身体の相性が悪くても、そのなかには必ずふたりで感じることのできる〝ベスト・ポジション〟があるはずです。

同じ正常位でも、ペニスが小さい場合は１６３ページのテクニック④のように結合部に体重をかけるようにすると、Ｇスポットに届きやすくなります。ペニスが大きすぎる場合は、同じくテクニック③のように深く入りすぎないよう工夫すれば、女性に痛い思いをさせることなく、存分に腰を動かせます。

こうして体位を工夫することで、男性の遅漏、早漏もカバーできます。

そもそも遅漏や早漏に明確な定義はありません。女性が満足しないうちに射精してしまえば早漏、延々と続くピストン運動で女性が疲れてしまってもまだフィニッシュできなければ遅漏というだけのことです。要するに気持ちの問題でもあるのですが、夫婦やカップルの間ですれ違いを生んでいるのなら、解決したほうがいいですよね。

あなたが彼女より先にオーガズムを迎えそうならペニスに刺激が伝わりにくい体位に切り替え、彼女の顔に疲労の色が見えたら、ピストン運動のストロークを短くしてください。ペニスのいちばん感じる部分は亀頭と小帯、つまりペニスの先端に集中しているので、短いストロークにすることで、この部分を無駄なく刺激でき、早くイケるのです。また、挿入が間延びすると女性のラブジュースが分泌されにくくなり、乾いてしまいがちです。遅漏ぎみの人は、なるべくローションを使いましょう。

互いに気遣いあい、そして相手を悦ばせようと努力する——そんなセックスはふたりの愛情も育てます。そのことを忘れず、よりよいセックスライフを営んでください。

正常位での挿入 実践篇

女性がベッドや床に全体重を預けられるため、膣の快感に集中しやすいのが特徴です。男女とも脚や腰の位置を調整できる範囲が広く、お互いが感じる角度を探求する楽しみもあります。表情を見て、相手が感じているのか確認しやすいのもメリットのひとつ。男性の手が空いているなら、積極的に乳首やクリトリスを刺激すると、女性はさらに悦びます。

テクニック①＝最初に挿入するときは、女性が脚の力を抜きやすいこの体位がベスト。男性が女性の腰を押さえると、小さめのペニスでも挿入途中で外れない。余裕があればクリトリスにタッチ!

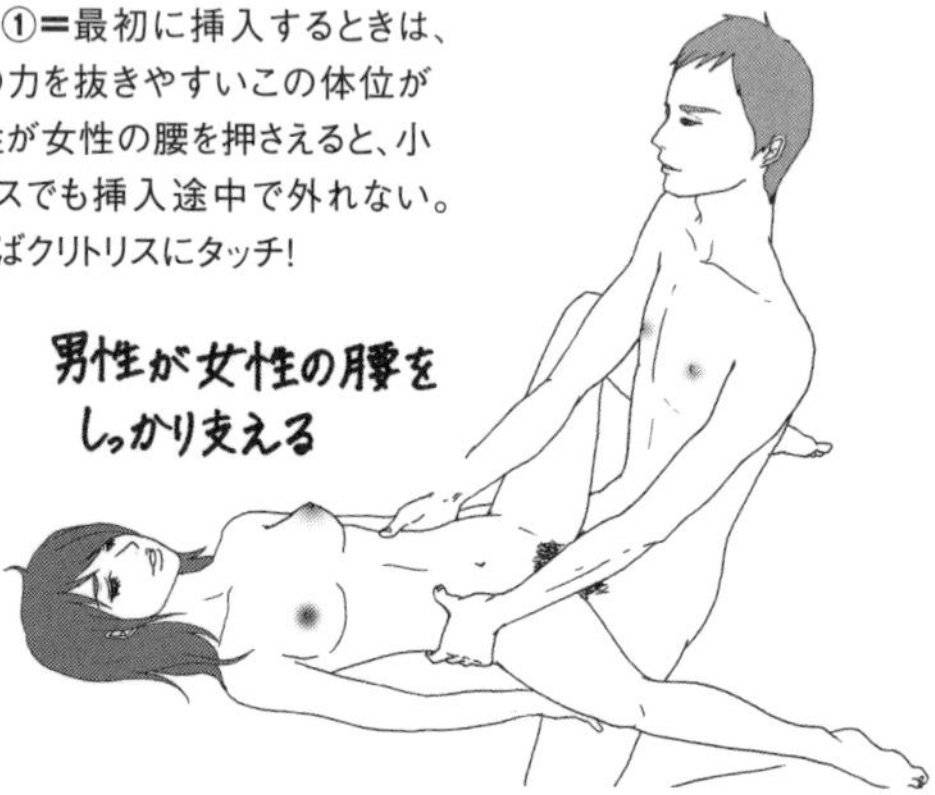
男性が女性の腰を
しっかり支える

テクニック②＝上半身を密着させ、女性は脚を高く上げる。あまり深く入らないことから、男性のペニスのサイズが大きすぎるカップル向き。女性の腰の下に枕を敷いて、角度を調整してもよい

密着するので
ラブラブ度がUP!

テクニック③＝挿入が浅く、大きなペニスの男性でもピストン運動しやすい。Gスポットにもポルチオにもペニスは届かないが、男性の恥骨でクリトリスが擦れるためこの体位を好む人もいる

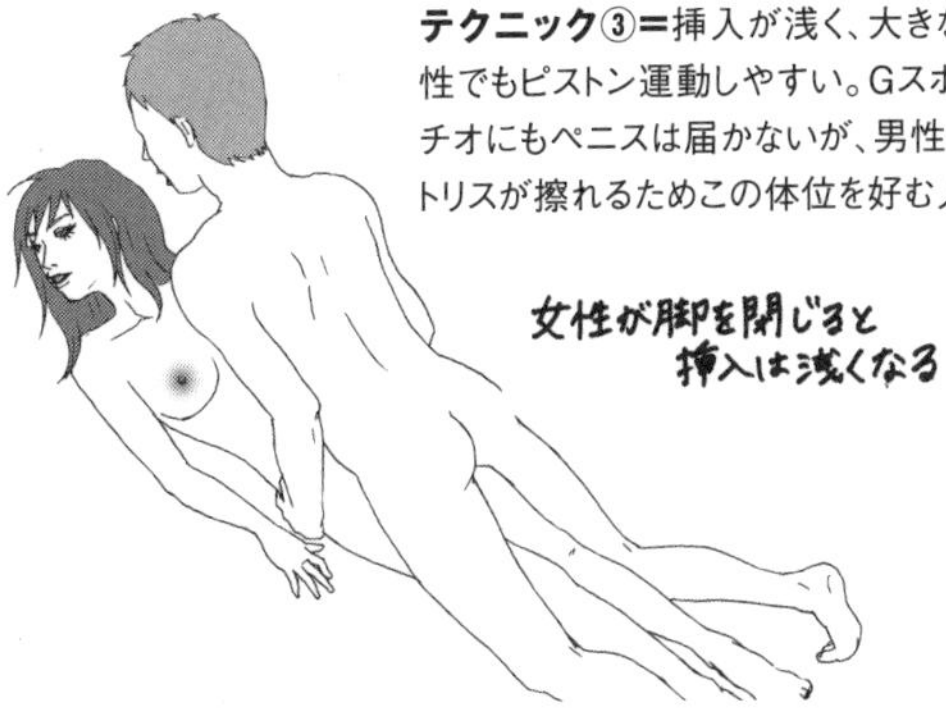
女性が脚を閉じると
挿入は浅くなる

テクニック④＝男性が女性の腰を持ったり、脚を上に掲げたりして、角度を調整する。結合部に男性の体重がかかることで、挿入の深さが増し、小さめのペニスでもGスポットに届きやすい

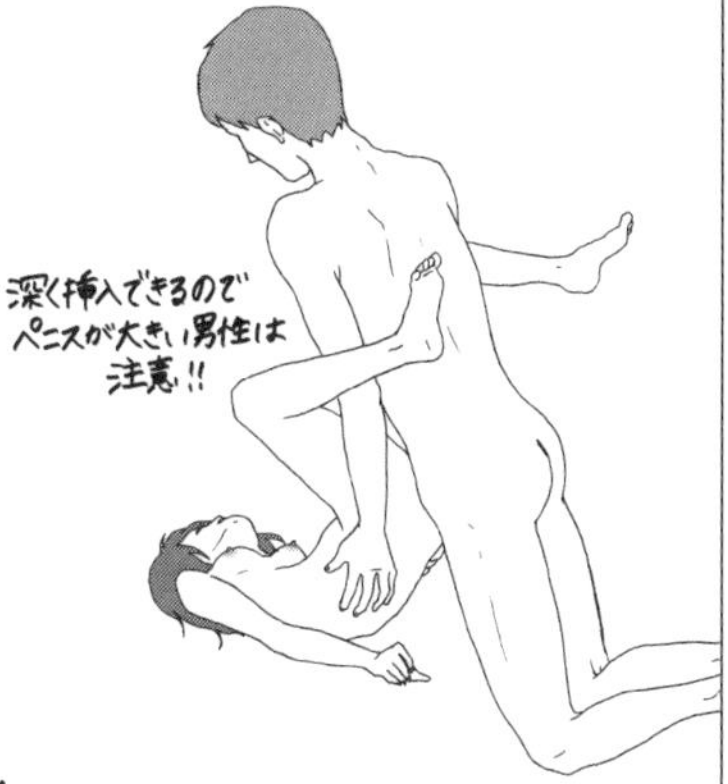
深く挿入できるので
ペニスが大きい男性は
注意!!

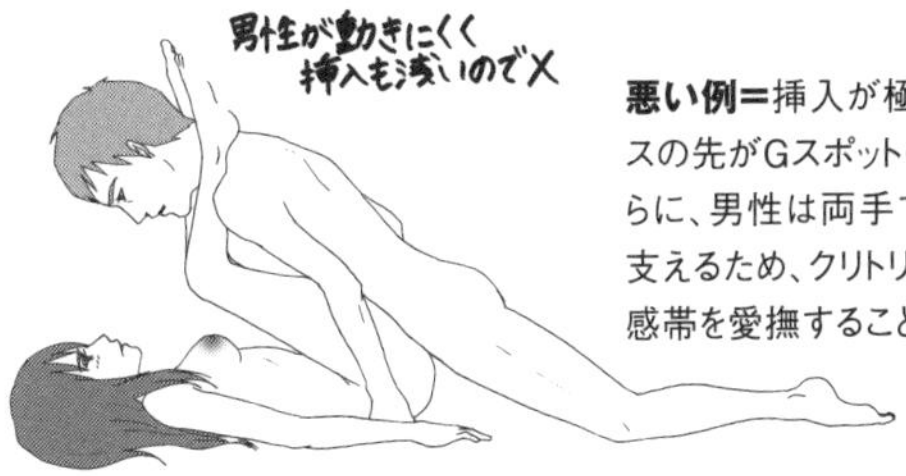
男性が動きにくく
挿入も浅いので×

悪い例＝挿入が極端に浅く、ペニスの先がGスポットに当たらない。さらに、男性は両手で自分の体重を支えるため、クリトリスなどほかの性感帯を愛撫することも不可能

騎乗位での挿入 実践篇

仰向けに横たわった男性に女性が馬乗りになり、激しく腰をくねらせる……。アダルト作品で定番の騎乗位ですが、実のところ女性はそれほど気持ちよくなれない体位です。この動きではペニスが肝心のGスポットに当たらず、せっかくペニスが最も奥に入る体位なのに、もったいない結果に終わることが多いのです。男女がともに快感を得られるつながり方を実践しましょう。

テクニック①＝女性は男性の上半身に体重を預け、腰の力を抜く。男性は下から突き上げるようにして、腰を動かす。ペニスが小さくてもGスポットを刺激できるため、オーガズムに達しやすい

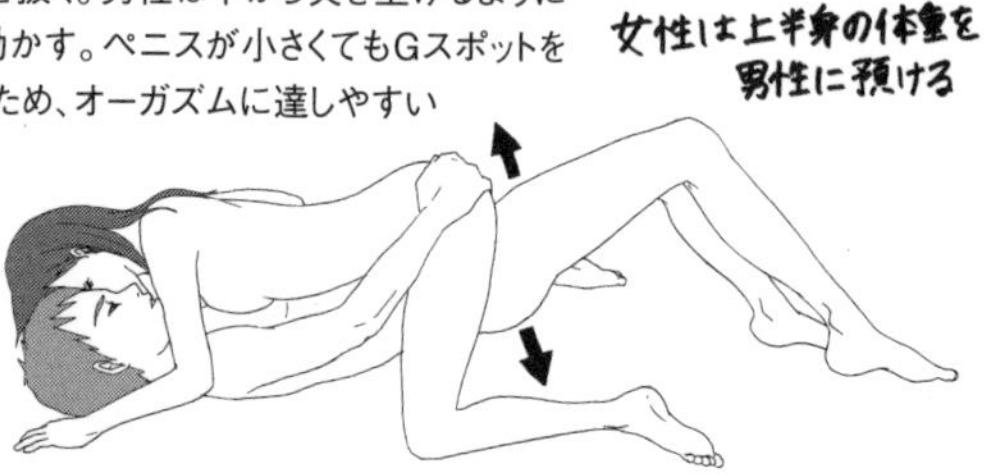
女性は上半身の体重を
男性に預ける

悪い例①＝女性が腰を前後に揺すったり、回転させたりしても、ペニスにGスポットが当たることはない。乳房が揺れるなど、男性にとっては興奮する要素が多いが、女性にとっては不快な要素が多いのが実情

腰をゆすっても
気持ちいいところには
当たらない!

女性が翌日
筋肉痛になる可能性も!

悪い例②＝上下の動きはペニスが膣の入口で擦れるため、男性にとっては気持ちがいいもの。ただし、女性は脚の筋肉を駆使しなければならないので、感じるどころではない

座位での挿入 実践篇

正常位や騎乗位でつながった状態から、半身を起こせば対面座位になります。互いの顔が近くにあり、キスや会話を楽しむには最適。ふたりの親密度がぐっと高まります。ただし、男性が腰を自由に動かせず、挿入の角度も変化をつけられないため、オーガズムにはなかなか至りません。どちらかというと、ハードな体位の合間に小休止として取り入れたい体位です。

テクニック①＝男性があぐらなどラクな体勢で座り、その上に女性が乗ってつながる。女性が腰を揺すればペニスに快感が伝わるが、オーガズムに達するほど強いものではない

対面座位は
ハードな
ピストンの後の
小休止
としても◎

激しいピストンは
できないので
角度で変化を

テクニック②＝イスやベッドの縁に座ったり、壁に背を預けたりすれば、挿入の角度に変化をつけられる。ちょうど女性の乳首が男性の顔の前あたりにくるので、口で愛撫するのもよい

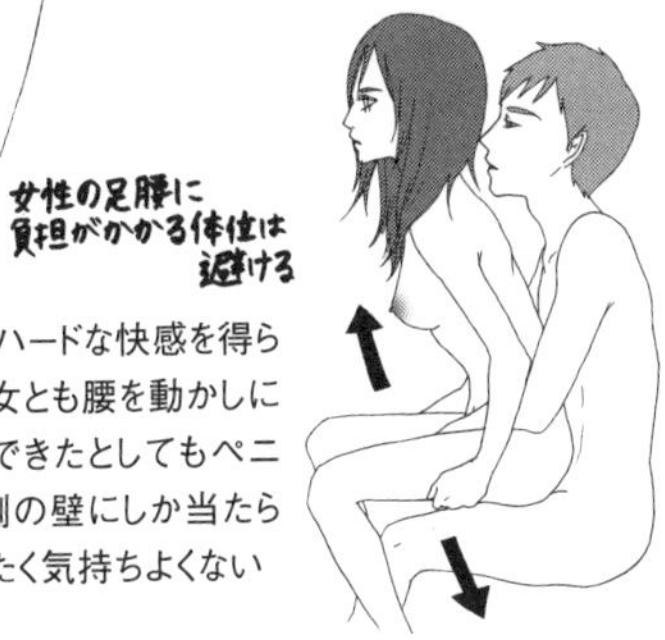
女性の足腰に
負担がかかる体位は
避ける

悪い例＝背面座位はハードな快感を得られそうに見えるが、男女とも腰を動かしにくい。ピストン運動ができたとしてもペニスの先が膣のおしり側の壁にしか当たらないので、女性はまったく気持ちよくない

後背位での挿入 実践篇

英語では「animal position」というように、ワイルドさが魅力。男性は挿入の深さやピストン運動のペースを自分でコントロールしやすいため、つい攻撃的になりがちです。お互いの顔が見えない分、ことばのコミュニケーションを欠かさないようにしてください。男性は両手が自由になるので、クリトリスや乳首などにも積極的に触れていきましょう。

テクニック①＝女性が四つん這いになるスタイル。下付きの女性の場合は、特にGスポットを刺激されやすい。男性が女性の腰をおさえると、激しいピストン運動でも挿入が外れにくい

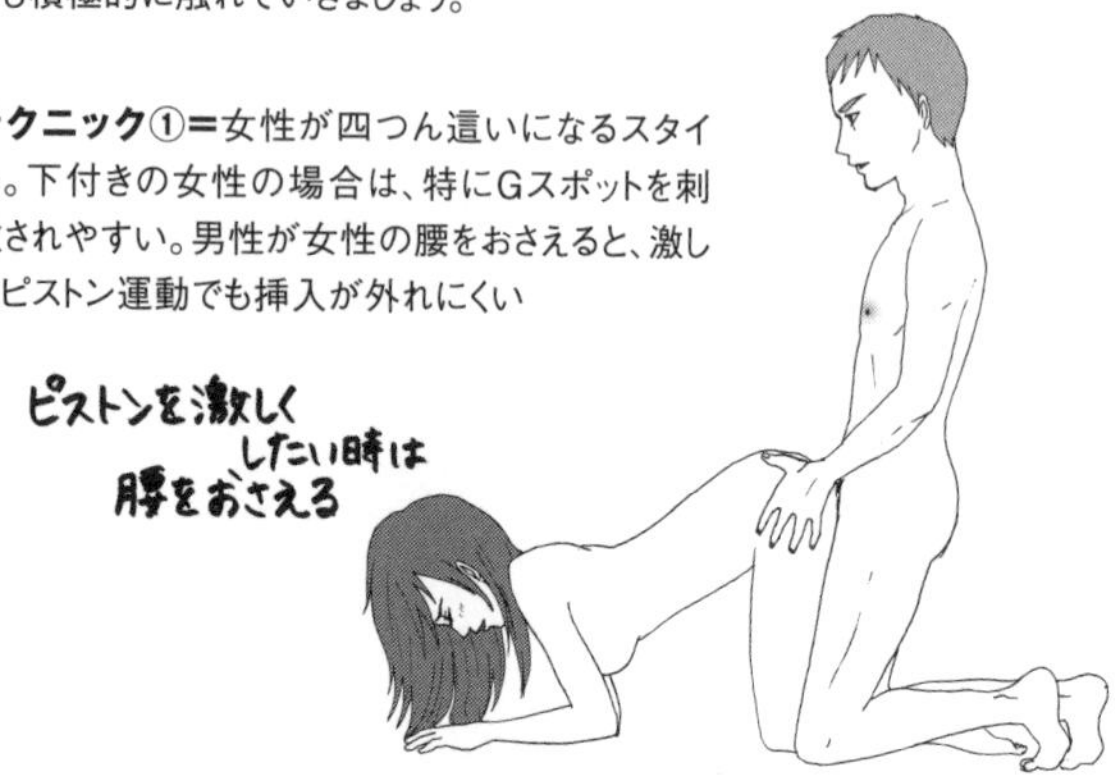
ピストンを激しくしたい時は
腰をおさえる

一度イッた後なら
過激な
ピストンもOK!

テクニック②＝女性が上半身をソファやベッドに預けると、ピストン運動の衝撃を受け止めやすい。最初から強いボディコンタクトをすると女性は痛がる。一度オーガズムに達した後に挑戦したい

テクニック③＝女性の腕を引いて上半身を引きつけると、より深く挿入できる。ただし両腕をつかむと女性は全身のバランスをとりにくいため、片腕だけがベターだ

腕を引き寄せて
密着度を高める

テクニック④＝女性が脚を閉じてうつぶせになり、男性が体重をかけて挿入する。激しいピストンはできないため、早漏で悩む人には最適の体位。女性はベッドでクリトリスが擦れて快感を得られる

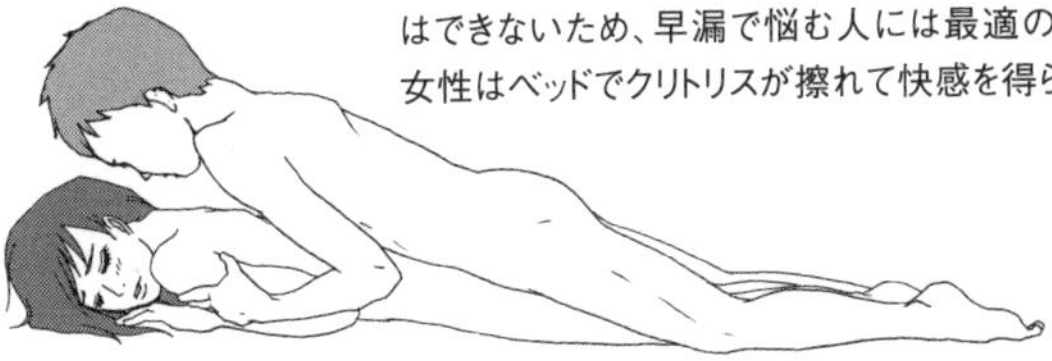
クリトリスもこすれて
気持ちいい

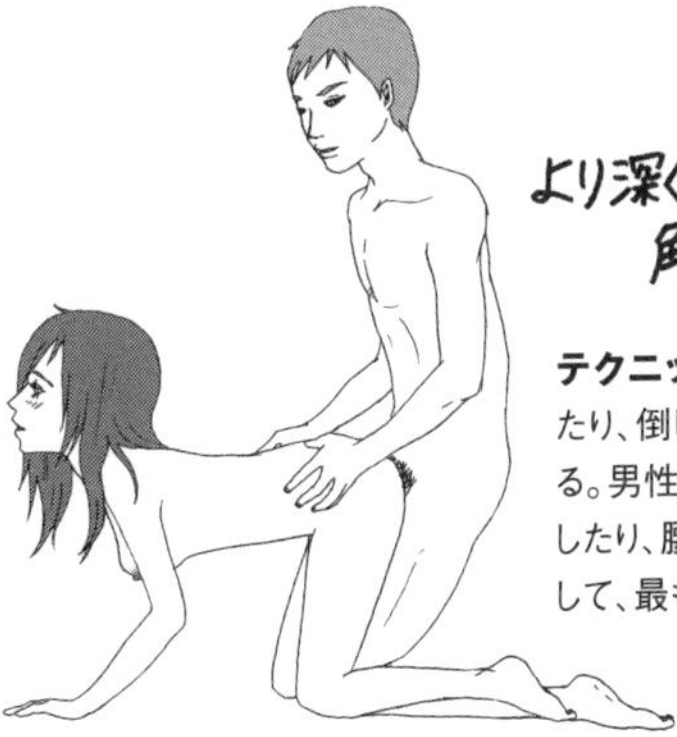
より深く挿入できる
角度を2人で探す

テクニック⑤＝女性が上半身を反らしたり、倒したりする事で角度を調整できる。男性は女性の背にのしかかるようにしたり、腰を落として下からつき上げたりして、最も感じるポイントを探す

あとがき

気持ちいいセックスに必要なのは女性の積極性と、男性の思いやり

産婦人科医で、しかも女性であるという立場から、これまでに多くの女性からセックスに関する相談を受けてきました。最初から話を聞いてもらう目的で病院を訪れる女性もいれば、まったく、別のことで受診し、診察の流れで「セックスすると、ここが痛みませんか?」と尋ねると、せきを切ったように悩みを打ち明ける女性もいます。

では、産婦人科医＝セックスの悩みに答える専門家なのでしょうか。

残念ながら、必ずしもそうであるとはかぎりません。医学部の授業ではセックスについて習わないからです。医師国家試験や産婦人科専門医試験でも、セックスに関する分野の出題は皆無といっていいでしょう。産婦人科医同士で話をすると、患者さんからの

そういった相談には自分の経験から答えているというドクターがほとんどだということを実感します。
セックスは人間の健康な営みです。本来であれば病気を治す場所である病院で相談することではないのかもしれません。しかし、悩みや不満を抱えていてもきちんと相談できる場所がほとんどない、というのが今の日本の現状です。こうした現実を目の当たりにして私は、妊娠や出産、子宮や卵巣の病気についてだけでなく、セックスについて勉強することは、より多くの人の助けになるのではないかと考えるようになったのです。

そこで私は「日本性科学会」に参加しました。セックスそのものやセックスレス、性犯罪、性教育などすべての〝セクシャルヘルス〟に関わる専門家の団体です。産婦人科医だけでなく、泌尿器科医、精神科医、教育関係者などが数多く参加しています（アヤシイ人が興味本位で参加することがないよう、入会には紹介者の推薦が必要で、審査があります）。ここで今まで知りたかったことが学べ、専門家の先生方と交流や意見交換することができました。

さらに興味が広がった私は、〝性科学（セクシャルサイエンス）〟の国際学会にも出席しました。さすが世界はレベルが高い！　「クリトリスの実体とは？」「Gスポットの秘密」「感じているのにイカないのは病気である」なんて興味深いことが、学問として堂々と検証し、話し合われているのです。

人間の生活から切っても切り離せないセックスという行為ですが、なかには性嫌悪症で苦しむ人もいます。もっと身近なところでは、セックスレスですれ違う夫婦やカップルが多くいます。いずれも深刻な悩みの持ち主ですが、「自分は性的にノーマルである」と思いこみ、「セックスってこんなものだろう」とあきらめて日々の性生活を送っています。私はそこにあえてメスを入れたかったのです。

私が接する女性たちのなかにも「セックスってそんなに好きじゃない」と言い切る人が相当数います。でも、オーガズムに達する方法をちゃんと知ることができれば、セックスを好きじゃないなんて言わなくなるのではないか――そう考えたのが本書を書くきっかけとなりました。

幸か不幸か、女性はセックスに妥協できてしまいます。濡れてなかろうが、感じてなかろうが、頭のなかで「早く終わってくれないかな」と思いながらも、男性を受け入れられるのです。でも、それではいけない！　女性だってオーガズムを得るのが正常なのです。まずはそのことを知ってもらいたい。そして、セックスをもっと楽しんでほしいと思ったのです。

多くの女性を妥協させてしまっている原因のひとつに、世の中に氾濫するアダルト作品や、男性側の経験や願望だけから書かれたセックス指南本があるのは間違いないでしょう。

アダルト作品のせいで「顔射」をごく当たり前の行為と信じている男性が少なくないという話を聞いたことがあります。また、指で膣をどう愛撫するのか、アダルト作品を見て学んだ男性も少なくないようですね。ビジュアルでわかるぐらい激しく指を出し入れされると、女性は感じるどころか苦痛でしかありません。また、上下に激しく動く騎乗位なんて、女性は疲れてしまうだけで、気持ちよくもなんともないでしょう。

アダルト作品や男性目線のセックス指南本を参考に日々愛撫に励まれても、女性にとっては迷惑もいいところ。早く終わってほしいと願うあまり彼女たちは、ウソの喘ぎ声をあげます。イッたふりをします。これによって男性は「俺のテクでイカせた!」とますます勘違い……。こんなセックスを繰り返していては、女性が満足感を得られることは百年経ってもありません。

数年前になりますが、小学校低学年の児童に対する性教育の在り方が国会で問題になりました。そこで、当時の首相であった小泉純一郎氏が「われわれの年代は性教育などなかった。でも自然にひと通りのことを知るようになった」といった内容の発言をし、多くの議員の笑いを誘ったのです。

しかし、これは笑い話でしょうか? セックスのやり方は「自然に」知ることができるものでしょうか? 性に関する知識を医学書から学んだという人はほとんどいないでしょう。大半の人が商用のポルノグラフィティでセックスを「知った」と思いこんでいますが、それは絶対に正しい知識ではないと、私は断言できます。

アダルト作品のすべてが「悪」ではないでしょう。男性のための〝ファンタジー〟であると理解さえしていれば、それほど問題にならない作品も多くあります。要するに、現実のセックスはまったく別物だということです。男性はファンタジーの世界の真似などせずに、女性とコミュニケーションをとりながら、彼女が感じるよう心をこめて愛撫してほしい、それが私の願いです。そうすれば女性は、フリじゃない、ほんとうのオーガズムに出会うことができるでしょう。

そして私は、女性にもこの本を手に取ってほしいと思っています。読んだ後は、感想を添えてパートナーに手渡してほしい。もっとセックスを楽しみたいという女性の積極性と、男性の思いやりあふれる愛撫があれば、ふたりそろってもっともっと気持ちいいセックスを体験できます。お互いへの愛情も、おのずと深まるにちがいありません。

本書の実践編は、多くの資料を元に編集の三浦ゆえさんと何度も話し合って製作しました。また、ブックマン社編集長の小宮亜里さん、素敵な装画を寄せていただいた漫画家の春輝さん、きれいなイラストをたくさん描いてくださった炊き立て馬子さんにはとても感謝しています。日本性科学会のメンバーでもある、川崎医大泌尿器科・永井敦教授と、私の山登り仲間の泌尿器科医・吉田栄宏君には、男性器についての質問に丁寧に答えていただきました。心から感謝しています。

この本を読んでくださった方々が、「私の身体はこうすると感じる」「僕はこうしてみたい」などそれぞれの身体からの声に耳を傾けながら、より充実したセクシャルライフを送っていただけるよう心から願っています。

平成22年春　宋　美玄

参考文献
『The Science of Orgasm』
Barry R., Ph.D. Komisaruk、Carlos Beyer-flores、Beverly Whipple（著）
Johns Hopkins Univ Pr
『セックス・カウンセリング入門』
日本性科学会（監修）、金原出版
『データブック ＮＨＫ日本人の性行動・性意識』
ＮＨＫ「日本の性」プロジェクト、日本放送出版協会

宋 美玄（そん・みひょん）

1976年兵庫県生まれ。産婦人科専門医。日本産科婦人科学会、日本周産期・新生児医学会、日本思春期学会、日本性科学会、日本性機能学会、日本母性衛生学会会員。大阪大学医学部を卒業し、産婦人科医に。川崎医科大学で講師を務めた後、ロンドンで胎児超音波の研鑽を積む。現在、産婦人科医として川崎医科大学で臨床と研修に携わりながら、首都圏のクリニックで産婦人科診療やカウンセリングを行う。女性の身体や性生活、妊娠・出産等についての啓蒙活動にも積極的に取り組み、TVや雑誌等で活躍中。

公式モバイルサイト
「女医宋美玄の相談室
妊娠・避妊・出産・セックスのコト」

Android用　iPhone用

女医が教える
本当に気持ちのいいセックス

2010年5月15日　初版第一刷発行
2020年8月13日　初版第四十八刷発行

著者　宋 美玄（ソン・ミヒョン）
装画／口絵　春輝
イラスト　炊き立て馬子　http://umako.jimdo.com/
ブックデザイン　秋吉あきら（アキヨシアキラデザイン）
編集　三浦ゆえ

発行者　田中幹男

発行所　株式会社ブックマン社
〒101-0065　千代田区西神田3-3-5
TEL 03-3237-7777　FAX 03-5226-9599
http://www.bookman.co.jp

印刷・製本　凸版印刷株式会社

ISBN 978-4-89308-738-6